MEISJE, BIJNA 16,
KOMMER EN KWEL

Vertaald door Tjitske Veldkamp

# SUE LIMB

# MEISJE, BIJNA 16, KOMMER EN KWEL

Van Goor

Voor Nancy Napper Canter

Eerste druk 2005
Tweede druk 2007

ISBN 978 90 475 0057 5
NUR 284
© 2007 Uitgeverij Van Goor
Unieboek BV, postbus 97, 3990 DB Houten

Oorspronkelijke titel © 2005, *Girl, (Nearly) Sixteen, Absolute Torture*
www.van-goor.nl
www.unieboek.nl

tekst Sue Limb
vertaling Tjitske Veldkamp
omslagontwerp Loaded Ink
zetwerk binnenwerk Mat-Zet BV, Soest

# 1

Aaaargh!! Jess probeerde haar afschuw te verbergen. Haar moeder fronste.

'Wat is er, schat? Dat wilde je toch zo graag, een keertje naar je vader? Ik heb hem er gisteravond over gebeld en hij kan niet wachten om je te zien. Stel je eens voor: zon, zee, kunst, ijs! En alle interessante dingen die we onderweg gaan zien. Echt een droomvakantie. Dus wat is er nou weer mis, Jess?'

Dat kon Jess haar onmogelijk vertellen. Ze zou nog liever naakt en winden latend door de supermarkt rennen dan haar geheim aan haar moeder vertellen. Dit onvoorziene, fantastische verrassingstripje betekende niets minder dan een drama. Jess' hart zonk diep, diep naar beneden tot het als een ziek hondje op het tapijt lag.

Maar vooruit, ze moest proberen opgetogen te klinken. 'Er is niets, hoor! Ik heb alleen een beetje hoofdpijn. Juist leuk, mam! Hartstikke leuk, bedankt. Wanneer gaan we?'

Ze probeerde wanhopig om enthousiast te doen, maar het was een opgegeven zaak – vergelijkbaar met een poging om haar achterwerk in een spijkerbroek maatje 36 te persen.

'Overmorgen,' zei haar moeder met de opgewonden glimlach van de ervaren sadist. 'We vertrekken vroeg, want dan is er nog niet zo veel verkeer en kunnen we lekker rustig de provincie in karren. Ik kan gewoon niet wachten! Het wordt geweldig!'

De ogen van Jess' moeder kregen een vage uitdrukking en ze staarde uit het raam met een hemelse blik, alsof er zojuist, boven de supermarkt aan de overkant, een engel was verschenen.

'Vervallen abdijen!' zei ze verrukt. 'Zeldzame veldbloemen! Grafheuvels uit het bronzen tijdperk!'

Af en toe had Jess de indruk dat haar moeder niet helemaal spoorde. Misschien was ze normaal gebleven als haar ouders niet uit elkaar waren gegaan. Misschien ook niet; haar vader was ook nogal vreemd.

'Begin maar vast met pakken!' zei haar moeder. 'Je hebt maar vierentwintig uur!' En weg was ze, naar boven om *Fantastische fossielen en boeiende aardbreuken* in te pakken. Of *Zwoele zeeegels uit de zuidwestelijke wateren.*

Vierentwintig uur! Snel handelen was nu geboden. Ze had maar één dag de tijd om een einde te maken aan dit heilloze plan. Kon ze in vierentwintig uur ernstig ziek worden? Of op een discrete manier de auto onklaar maken, zodat die van zijn levensdagen niet meer zou starten? Zou ze het huis een klein beetje in brand kunnen steken, heel voorzichtig natuurlijk?

Ze moest naar Fred. Lieve Fred, hij wist vast wel raad. Misschien konden ze samen weglopen. Maar ze hadden geen geld. Weglopen naar een uithoek van zijn tuin dan maar. Die was behoorlijk dichtbegroeid en er stond een enorme boom. Konden ze stiekem in gaan wonen, zoals Tarzan en Jane, maar dan zonder de spieren en de schoonheid.

Fred was een schat. Even sms'en! Jess rende de trap op naar haar slaapkamer maar – hoe vreselijk was haar lot – haar mobiel was verdwenen. De vloer van haar kamer lag bezaaid met een lasagna van kleren, cd's, boeken en snoeppapiertjes. Jess gooide wat zooi heen en weer maar besloot toen om er verder geen energie in te steken en bij Fred langs te gaan zonder hem eerst te sms'en. Hij was er vast wel. Hij ging momenteel toch bijna nergens heen zonder het tegen haar te zeggen.

Wel eerst even haar make-up checken, natuurlijk. Jess zette koers naar de keuken waar een spiegeltje boven de gootsteen hing, zodat je je eigen gekwelde blik kon zien wanneer je de afwas deed. O, shit. Haar wenkbrauwen zagen er niet uit! Zelfs een orang-oetang zou zich hiervoor schamen.

Nou ja, geen tijd om te epileren nu. Ze rukte de koelkast open en greep een blikje cola. Nee, wacht, beter water. Fred en zij waren weliswaar erg close, maar darmgassen, nee, dat ging nog te ver. Geen geluiden uit haar broek, wanneer ze bij hem was.

Jess liet een glas vollopen en dronk het voor de spiegel op. Klok, klok, klok deed haar keel. Het zag eruit als een slang die een complete marmottenfamilie verslindt. Niet bepaald aantrekkelijk.

'Heb jij soms mijn tanden gezien?' klonk het plotseling op griezelige toon achter haar. Het was geen geestverschijning, maar haar oma. Eigenlijk zei ze 'Heb jij fomf mijn tsanden gefien?' want als ze haar gebit kwijt was, had ze moeite met s'en en t's. Dan noemde ze Jess Jeff. Nogal irritant. Niet dat Jess zwaar tegen geslachtsverandering was, maar mocht ze onverwacht een man worden, dan wilde ze Brad heten en niet Jeff.

'Heb je al onder je kussen gekeken?' vroeg Jess. Ze gingen samen naar oma's kamer en vonden het gebit onmiddellijk.

'Ongelooflijk, zo goed als jij dingen altijd weet te vinden, lieverd,' zei oma. 'Je moet na school maar bij de luchthavenbeveiliging gaan.'

Jess lachte. Oma's gebit lag altijd óf in een glas water op het nachtkastje, óf onder het kussen.

'Nee, oma, ik word stand-up comedian, weet je nog?' zei Jess.

'Dat is natuurlijk niet zo spectaculair als luchthavenbeveiliging, maar iemand moet nou eenmaal het bloedstollend saaie werk van de stand-upper doen.'

Oma pakte haar gebit en voerde een soort buiksprekersact op.

'Hé, Jeff!' zei ze met de piepstem die ze altijd voor haar tanden gebruikte. 'Waf etsen we fanafond?' Ze liet de tanden hongerig op elkaar klepperen.

Toen Jess klein was, had ze dit altijd enorm leuk gevonden, maar eerlijk gezegd begon het leuke er onderhand een beetje af te gaan. Jess wilde weg, zich in de armen van Fred de Heerlijke storten. Ze lachte beleefd en schuifelde voorzichtig in de richting van de voordeur.

'Kom, dan gaan we naar het nieuws kijken,' zei oma terwijl ze haar tanden met een zwaai in haar mond stopte. 'Er heeft een explosie plaatsgevonden in Polen. Vreselijk. Honderden doden, naar men vreest.' Oma was gruwelijk verslaafd aan rampen.

'Sorry, maar ik moet nog weg, oma,' zei Jess terwijl ze gewichtig op haar horloge keek. 'Ik moet mijn vrienden nog gedag zeggen voor ik op vakantie ga.'

'Ach ja, dat heerlijke uitje! Ik kijk er zo naar uit, lieverd. Jij ook? We eindigen in Cornwall, waar opa en ik onze wittebroodsweken hebben doorgebracht.'

Dat verhaal had Jess ongeveer 99.999 keer gehoord.

Alsjeblieft, niet wéér, oma, dacht ze wanhopig, anders zie ik me genoodzaakt je vriendelijk doch kordaat in de trapkast op te bergen.

'En,' ging oma enthousiast door, 'ik ga er opa's as in zee gooien!' Jess glimlachte met op elkaar geklemde kaken en reikte achter zich om de voordeur open te maken.

'Leuk, oma! Wat een fantastisch idee! As, zee – moet je doen! Er is leven na de dood in de diepzee!' Oma lachte. Ze was verbazingwekkend tolerant en zou waarschijnlijk nog lachen op haar eigen begrafenis.

'Sorry, oma, maar ik moet nu echt gaan. Flora wacht op me in het park!'

'Goed hoor, lieverd. Als je terugkomt praat ik je wel bij over de explosie in Polen,' beloofde oma. Ze schuifelde haastig de huiskamer in, richting tv. Het was al twee minuten over vijf en wie weet had ze al een heerlijke nieuwe ramp gemist. Oma woonde pas sinds kort bij hen, en haar komst had hun leven heel wat vrolijker gemaakt. Maar nu was Jess met haar gedachten elders.

Ze rende het huis uit en de straat in. Dat Flora in het park op haar zat te wachten was gelogen, een excuus om weg te komen. Ze moest naar Fred. Alsjeblieft, God, bad ze terwijl ze naar de heilige verblijfplaats van de hemelse Fred Parsons snelde, alsjeblieft, zorg dat ik niet op vakantie hoef! Laat me mijn enkel verstuiken! Allebei mijn enkels! En zorg dat Fred thuis is!

**2**

Terwijl Jess naar Freds huis rende, probeerde ze de dingen op een rijtje te zetten, maar de situatie was volledig uit de hand gelopen. In minder dan een halfuur was de ideale zomer veranderd in een duister niets.

Het was nog maar kort aan tussen Jess en Fred en ze waren van plan geweest om de hele vakantie in het park door te brengen. Elke dag picknicken onder een andere boom. Ze hadden ook wat bustochtjes buiten de stad gepland. Wandelen in het bos of hand in hand over het strand slenteren. 'Als in een verzekeringsadvertentie,' volgens Fred.

En natuurlijk zouden ze, zodra het donker werd, urenlang – o wat vermoeiend toch – oefenen in zoenen en knuffelen. De afgelopen week had Fred haar elke avond welterusten gekust, bij de ingang van het park onder een boom. Jess' huid gloeide nog na bij de herinnering daaraan.

'Nou, dan moesten we maar eens beginnen met die onzin van afscheidszoenen en zo, als we dat tenminste kunnen opbrengen,' had Fred de eerste keer gemompeld. 'Ik heb de hele avond kauwgum gekauwd als voorbereiding op dit moment.' Hij had de kauwgum uitgespuugd – zeer stijlvol, in een prullenbak – en daar gingen ze.

Hun eerste kus. Lang, traag en heerlijk. Jess' hart was op hol geslagen. En uiteindelijk, toen ze elkaar loslieten, had

Fred gefluisterd: 'Wat vond je? Vreselijk, hè?'

'Misselijkmakend!' had Jess gezucht terwijl ze haar hoofd tegen zijn hart legde.

Waar kwam bij haar moeder de fatale aandrang vandaan om juist op dit moment een vakantie te plannen? Juist op het moment dat gewoon thuisblijven hemel op aarde was. Normaal gesproken had Jess niets liever gedaan dan naar de kust gaan om haar enigszins rare, maar vreselijk lieve vader te helpen met zijn nogal sombere schilderijen van stranden en zeemeeuwen, maar op dit moment was het idee om weg te moeten afschuwelijk.

Alles aan haar moeder vertellen was onmogelijk, hoe zou ze dat moeten uitleggen? Ze zou er hopeloos door in de problemen komen. Jess' moeder was niet wat je noemt vriendvriendelijk. Ze was misschien geen uitgesproken mannenhater, maar ze liet het andere geslacht alleen binnen als de wasmachine stuk was.

Jess dacht wel eens dat ze nooit zou kunnen trouwen, uit angst voor haar moeders woede. Ze zou duizenden kilometers verderop moeten gaan wonen, in de binnenlanden van Midden-Amerika en doen alsof Henry haar hond was, in plaats van haar echtgenoot.

Jess had de hele weg gerend en kwam hijgend bij het huis van Fred aan. Als je iets aan je conditie wilt doen, moet je verliefd worden; dat werkt beter dan sporten. Ze belde aan en probeerde ondanks haar hoogrode wangen en haar zwoegende longen een ontspannen en verzorgde indruk te maken.

De vader van Fred deed open. Achter hem klonk het geluid van voetbal op de tv.

'Is Fred thuis?' hijgde ze. De vader van Fred schudde zijn hoofd.

'Nee, hij is er niet,' zei hij.

'Hè nee! Weet u misschien waar hij heen is?' riep Jess wanhopig uit. De vader van Fred haalde zijn schouders op.

'Het spijt me,' zei hij. Het klonk als het einde van het gesprek. Hij vroeg Jess niet om te wachten tot Fred terug zou zijn. De moeder van Fred had dat anders gedaan. Die had Jess binnengevraagd, haar allerlei lekkere dingen aangeboden en haar op de bank gezet met albums vol foto's van Fred als schattig jongetje.

Maar Freds vader was een sukkel. 'Het spijt me,' zei hij nogmaals terwijl de voetbaltoeschouwers op tv het uitschreeuwden van opwinding. 'Ik moet weer terug naar het voetbal.' En met een verontschuldigende glimlach deed hij de deur voor haar neus dicht.

Jess bleef verlamd, verbijsterd en ontzet achter. Het leek wel of de straat plotseling verduisterd werd. Donkere wolken pakten zich samen en ze had het gevoel alsof er aasgieren boven haar hoofd rondcirkelden. Even stond het huilen haar nader dan het lachen, maar ze slikte haar tranen weg. Smerig smaakte dat. Wat nu? Waar moest ze heen? Er voltrok zich een ramp; waar was Fred als ze hem nodig had? Op onverklaarbare wijze niet thuis. Het was om razend te worden.

Dan restte er maar één ding: naar haar beste vriendin Flora gaan. Gelukkig was die nog niet op vakantie. Over een paar dagen zou ze vertrekken voor een 'Costa Ricaans avontuur'. Jess wist niet precies waar Costa Rica lag, maar als je de foto's in de reisfolder mocht geloven, zou Flora door regenwouden vol prachtige vogels en vlinders trekken en zich onder wuivende palmbomen uitstrekken op tropische stranden.

Bij Flora konden ze zich dat soort dingen veroorloven omdat haar vader iets hoogs was bij een badkamerfabrikant. Maar dit keer was Jess eens niet jaloers geweest op Flora's vakantie, want er kon toch niets leuker zijn dan de hele zomer met Fred in het park rondhangen.

Een paar weken geleden, voordat het aan ging tussen Jess en Fred, was er een lastig moment geweest, toen Flora bekende dat zij gek was op Fred. Maar toen Fred eenmaal had toegegeven dat hij de voorkeur gaf aan de donkere, onvolmaakte Jess boven de blonde, volmaakte Flora, had Flora uit haar diepste innerlijk een onvermoed engelachtig trekje opgediept; ze had maar drie dagen lopen mokken.

Jess begon te rennen. Ze hunkerde naar wat medeleven en bij Flora kon je altijd terecht voor een knuffel en een beker warme chocolademelk.

Flora's oudere zus Freya deed open. Freya studeerde wiskunde en sexappeal in Oxford. Net als de rest van Flora's familie was ze blond en oneerlijk mooi. Ze was ook een beetje vaag en dromerig, wat haar engelachtige schoonheid nog versterkte. Jess hoefde niet te proberen om vaag en dromerig te doen; zij zou alleen maar dik en achterlijk lijken.

'O, eh, hallo Jess...' mompelde Freya. 'Flora is... tja, waar zou ze zijn? Eh, misschien, ja misschien wel in de kamer, bij mijn moeder...' En daar zweefde ze weer verder, op weg naar heel moeilijke sommen. Of een haarwasbeurt met kamille-extract. Jess trok haar schoenen uit (dat moest hier altijd, alsof het een moskee was) en liep op haar tenen naar de huiskamer. Hoe snel zou ze Flora voor zich alleen hebben om bij haar te kunnen uithuilen?

Maar haar verbaasde blik viel op een merkwaardig tafereel. De moeder van Flora die, als ze een goede dag had, best kon doorgaan voor Madonna op een mindere dag, lag op de bank met een lelijk gekneusd jukbeen, een blauw oog en een been in het gips! Wat was hier in 's hemelsnaam gebeurd? Het leek erop dat Jess sympathie zou moeten tonen in plaats van ontvangen. Wat was het leven toch onrechtvaardig!

# 3

'Kom maar binnen, Jess. Wees maar niet bang, al zie ik eruit als iemand uit een horrorfilm!' riep Flora's moeder. Flora zat op de grond naast de bank. Je kon zien dat ze uren had gehuild; haar ogen waren roze en varkensachtig. Desondanks zag ze er nog altijd veel beter uit dan Jess, die het hele jaar door varkensoogjes had.

'Wat is er gebeurd?' vroeg Jess terwijl ze naast Flora op de grond ging zitten.

'Ik ben ongelukkig gevallen toen ik uit bad stapte,' zei de moeder van Flora. 'Het kwam door die glibberige badolie – Roos & Geranium.'

'Die had ik haar voor haar verjaardag gegeven,' zei Flora. 'Het is allemaal mijn schuld! Nu heeft mijn moeder haar been gebroken en moeten we de vakantie annuleren en alles.'

'Ah nee!' riep Jess ontzet. Ze wist hoe Flora zich verheugd had op het regenwoud en de brulapen.

'Het geeft niet, lieverd,' zei mevrouw Barclay terwijl ze over Flora's haar aaide. 'Jess is er nu om je op te vrolijken, hè Jess?' Jess knikte zo opgewekt mogelijk, al was ze voor het tegenovergestelde gekomen. Flora had háár juist moeten opvrolijken, verdorie!

Het was ironisch. Flora was diep teleurgesteld omdat haar vakantie naar de haaien was, en Jess' leven ging naar de haaien omdat ze tegen haar zin op vakantie moest. Ze moest er niet te veel over nadenken, want het voelde alsof die haaien achter háár aan zaten.

'Hoe is het met je moeder?' informeerde Flora's moeder, terwijl Flora met een tragische blik naar het kleed staarde. Er werd duidelijk van Jess verwacht dat ze de stemming in dit gezelschap met een paar goedgekozen, geestige opmerkingen – over haar moeder, notabene – zou doen omslaan van diepe somberheid in uitzinnigheid.

'Nou, mijn moeder heeft erg veel zin in onze...' begon ze ongeïnspireerd. Ze stopte. Was het tactloos om over haar eigen vakantie te beginnen? Ze aarzelde. '...ons reisje... naar mijn vader.'

'Een uitje!' De ogen van Flora's moeder lichtten op. 'Wat enig voor je, Jess! Je vader woont in St. Ives, hè? Ik ben dol op St. Ives. Die stranden! En die kunst! Het wordt vast verrukkelijk.'

'Ik weet niet,' zei Jess aarzelend. 'Mijn ouders kunnen niet bepaald goed met elkaar overweg. En mijn oma gaat ook mee. Ze wil de as van mijn opa in zee gooien.'

'Ach, wat een fantastisch idee!' De stem van Flora's moeder kreeg nu een tragische ondertoon. 'Zo romantisch en tegelijkertijd zo droevig. Ik wil ook graag in zee gegooid worden als de tijd daar is, Flora. Niet vergeten, hè, schat?'

Het leek even of Flora haar moeder nu meteen wel in zee wilde gooien. Of zichzelf. Soms is het leven zo zwaar, dat je aarzelt tussen zelfmoord en moord, en het was duidelijk dat Flora in dat dilemma verkeerde.

'Dus jullie gaan er heerlijk opuit! En wat gaan jullie onderweg zoal bekijken?' vroeg Flora's moeder.

'Ik weet het niet precies... het is allemaal nog maar net besloten,' antwoordde Jess. 'Mijn moeder had het over vervallen abdijen, en zo.'

'Vervallen abdijen!' riep Flora's moeder in vervoering, alsof ze er wel eentje bij de thee zou lusten. 'Dat klinkt zó fantastisch, Flora. Wat heeft Jess toch een geluk!'

Flora rukte zich los uit haar diepe depressie, stak haar arm uit en kneep in Jess' hand. 'Ja, fijn dat je zo'n gave vakantie krijgt, joh,' zei ze, maar er klonk een zucht in haar woorden door. Haar eigen, helaas geannuleerde, vakantie was duidelijk interessanter dan die saaie vervallen abdijen van Jess.

Jess' bescheiden tragedie werd totaal overvleugeld door de crisis die Flora's familie teisterde. Zoals altijd was die bij Flora groter en erger. Zelfs de mislukkingen waren verdorie grootser dan die van haar.

Flora's moeder bewoog en kromp ineen van pijn. 'Au! Au! O, hemeltje, ik kan helemaal niets meer!' zei ze. Jess was ondanks zichzelf een beetje jaloers. Rot van zo'n gebroken been en alle ellende die het veroorzaakte, maar Jess had dat been met open armen verwelkomd, zeg maar.

Jess probeerde allerlei leuke dingen te bedenken die Flora's moeder zelfs met een gebroken been zou kunnen doen. Dat was niet veel. 'Misschien is het een goede smoes om weer eens een legpuzzel te maken?' vroeg ze weifelend.

'O, ik ben dól op legpuzzels!' riep de moeder van Flora. Die vrouw was zo vastbesloten om de zaak positief te bekijken, dat ze zich, kranig als ze was, onmiddellijk zou hebben opgegeven voor bungeejumpen, als Jess dat had voorgesteld.

'Een fantastisch idee! Pak de puzzel van het koninklijk huis eens!' zei de moeder van Flora en Flora was al weg. Daar kwam Flora's zusje Felicity binnen met haar fluit.

'Mam, wil je even luisteren of mijn solo zo goed klinkt? Ik heb uren geoefend maar het middenstuk gaat nog steeds niet snel genoeg.'

'Natuurlijk, lieverd,' zei mevrouw Barclay. En vanaf dit fatale moment gleed de avond onafwendbaar af naar iets ergs. Er restte Jess niets anders dan haar tanden op elkaar te bijten en dit te ondergaan.

In plaats van haar hart uit te storten bij Flora en grote hoeveelheden liefde, medeleven en sympathie te ontvangen, moest ze nu eindeloos luisteren naar de ultrasaaie fluitsolo van Felicity, ondertussen tussen honderden puzzelstukjes vruchteloos zoekend naar de tanden van de koningin.

Het was bijna een opluchting om naderhand alleen in het donker naar huis te kunnen lopen. Daar kon ze tenminste zwelgen in haar eigen ellende zonder dat ze geestig hoefde te converseren met mensen die nog slechter af waren dan zijzelf.

Morgen moest ze pakken. En ze had nog niet eens de kans gehad om het nieuws aan Fred te vertellen. De straatlantaarns waren aan en lugubere lichtvlekken werden nu afgewisseld met de diepe schaduwen van de bomen langs de weg. Jess was nog een meter of honderd van haar tuinhek verwijderd toen er een gestalte met een capuchon uit de schaduw opdook en haar de doorgang versperde.

O, nee hè! Nou werd ze ook nog beroofd. Een perfect eind van een zwarte, zwarte dag. De gestalte torende boven haar uit, zijn gezicht onherkenbaar door het schijnsel van de straatlamp achter hem. Jess' hart sprong in paniek op en in gedachten zag ze al de krantenkoppen voor zich: 'Schoolmeisje vermoord op honderd meter van haar huis'. Help me, God, bad ze wanhopig en in stilte, ik zal genieten van elke minuut van het geschiedkundige tripje met mijn moeder, als ik maar mag blijven leven.

De gestalte greep haar arm. 'Hé, waar moet dat heen?' klonk een wrede, schorre stem. 'Zo gemakkelijk kun je mij niet ontsnappen. Ik, de Capuchon Killer, zal eerst je hete bloed drinken.'

Het was Fred.

# 4

Jess werd omhooggetrokken in een enorme omhelzing. 'Ik hang hier al drie uur rond,' gromde Fred in haar haar. 'Ik sta op alle veiligheidscamera's. Ben de hoofdverdachte in alle ernstige misdaadzaken hier in de buurt. Waar zat je in 's hemelsnaam? Zeker weer aan het flirten met je minnaar?' Jess giechelde in zijn shirt. Fred kon haar zelfs in momenten van diepe depressie aan het lachen maken – en 'depressie', dat was wel de juiste omschrijving van de huidige situatie.

'Welke minnaar?' vroeg ze verontwaardigd.

'Ben Jones, natuurlijk,' zei Fred. 'Ik weet dat je in stilte naar hem hunkert. Je wilt niets liever dan met je vingers door zijn prachtig blonde voetballerskrullen kroelen, geef maar toe!'

'Hou toch op, Fred!' zei Jess. 'Jij bent mijn minnaar tegenwoordig – of was je dat nog niet opgevallen? Ben is een oude bevlieging, vreselijk achterhaald. Trouwens, ik ben rond vijf uur bij jou langs geweest en toen was je er niet. Dus waar was jij eigenlijk? Bijles Engels geven aan Jodie, zeker?'

'Ah!' zei Fred mysterieus. 'Ik was naar de stad om een zeer speciale verrassing voor jou te regelen.' Hij liet haar los, reikte in zijn binnenzak en haalde een chique witte envelop te voorschijn.

Jess wist wel dat ze Fred nog moest vertellen over de gedwongen vakantie met haar stomme familie, maar ze durfde het onderwerp nog niet ter sprake te brengen. Met Fred was het altijd zo leuk. Hij hield de witte envelop nu boven haar hoofd. Jess sprong een paar keer omhoog terwijl ze hem lachend probeerde af te pakken, maar Fred was zoveel groter, dat hij alleen maar zijn arm hoefde op te steken om de envelop buiten haar bereik te houden.

'Ik richt een klein, speels hondje af,' zei hij lachend. 'Wil je uit met het baasje?'

'Geef me die envelop,' zei Jess, 'of ik word echt een schattig hondje en ik plas over je schoenen.'

'Lief!' zei Fred met een grijns. 'Een verleidelijk vooruitzicht... nou goed dan... je mag de envelop hebben, maar dat kost je dan wel een zoen.' Jess wierp zich enthousiast in zijn armen.

Ze had wel eens gelezen dat je jezelf niet aan jongens moest opdringen. Je kon beter een stijlvolle geheimzinnigheid en waardigheid uitstralen, dat was de manier om begeerlijk te blijven of zoiets, maar Jess wist zeker dat haar begeerlijkheid te verwaarlozen was. De enige hoop die zij had om Fred geïnteresseerd te houden, was hem vast te grijpen en nooit meer los te laten. Dus kusten ze, zonder enige geheimzinnigheid of waardigheid.

Het was een knalzoen. Vijf minuten later lieten ze elkaar los om op adem te kunnen komen. In de ideale situatie hadden ze nu even kunnen pauzeren, met een oppeppend praatje van de coach en een glucoserijk high-energy sportdrankje. Maar dat was hier allemaal niet voorhanden. Er was alleen een donkere, uitgestorven straat.

De zoen had al het andere uit Jess' hoofd weggevaagd, zelfs de envelop en het afschuwelijke nieuws. Misschien had haar moeder gelijk en was een relatie met een man schadelijk voor je hersens. Jess keek omhoog naar Fred en Fred keek omlaag naar Jess. Hij sperde zijn ogen wijd open en maakte het zachte oehoegeluid van een jonge uil. Al hun hele leven, sinds de peuterspeelzaal, maakten ze dierengeluiden naar elkaar.

Toen overhandigde hij haar met een formeel buiginkje de witte envelop. Jess was enorm nieuwsgierig en haar handen beefden een beetje toen ze de prachtige, friswitte envelop aanpakte. Hij glansde beloftevol in het licht van de lantaarns.

Jess probeerde hem voorzichtig en elegant open te maken, met geheimzinnigheid en waardigheid, maar haar pink bleef vastzitten onder de flap zodat ze hem uiteindelijk met een ongeduldige kreet openrukte. Er zaten twee kaartjes in... waarvoor, dat kon Jess zo gauw niet zien in het duister. Toen zag ze het woord Riverdene Festival. Het was niet waar! Het allercoolste muziekfestival! Al Jess' favoriete bands zouden er optreden!

'Twee kaartjes voor Riverdene,' zei Fred. 'Ik dacht dat we daar volgende week wel naartoe konden vluchten. Ik ben al maanden aan het sparen; op zondagmorgen werk ik bij de kantoorboekhandel en ik heb al mijn rijkdommen in een kluis onder mijn bed verborgen. Van mijn moeder mogen we een tent lenen – en als je moeder liever niet wil dat we samen in één tent liggen, kunnen we er twee meenemen. Om haar gerust te stellen. Dus. Wat denk je?'

Jess was sprakeloos. Ze kon niets bedenken dat leuker was dan met Fred naar Riverdene gaan. Maar de timing was verschrikkelijk! Het leek wel of haar hart barstte en in stukjes uit elkaar viel. Het was onmogelijk. Maar Fred keek haar met zulke blije, glanzende ogen aan, dat ze het niet over haar hart kon verkrijgen om hem teleur te stellen. Even kon ze helemaal niets zeggen.

'Je hebt natuurlijk gelijk dat je aarzelt,' zei hij om de stilte te verbreken, en er klonk ongerustheid in zijn stem. 'Het idee om een aantal dagen in het veld te moeten doorbrengen met duizenden ongewassen jongeren zou iedereen natuurlijk met ontzetting vervullen,' ging hij snel door. 'Logisch. En de gedachte in mijn aanwezigheid te moeten verkeren, veroorzaakt vast ook wat aarzeling. Laat me je verzekeren dat ik met plezier mijn tent vijfhonderd meter verderop zet als jij dat wenst. En ik zal uitsluitend vanaf een respectvolle afstand tot je spreken. Of wellicht een schrijven zenden.'

Jess lachte, maar haar ogen vulden zich met heimelijke tranen. Die arme, lieve Fred! Zijn heerlijke verrassing maakte haar slechte nieuws alleen maar erger. 'En als het oncomfortabele karakter van het leven in de openlucht je verontrust,' ging Fred door, 'kan ik je verzekeren dat het weerbericht voor de lange termijn prima is. Ik heb zelf een heimelijke voorkeur voor regen; ik vind dat die weersgesteldheid vreselijk onderschat wordt. Maar in Riverdene heb ik het liever droog.'

Jess zei nog steeds niets, maar er gleed een traan over haar wang. Fred legde zijn arm om haar schouders. 'Wat is er?' vroeg hij. Het was zeer ongebruikelijk voor hem om zo'n korte zin te gebruiken. Blijkbaar begon hij te vermoeden dat er sprake was van een crisis. Jess keek hem aan en schudde droef het hoofd. 'Iets leukers dan dit bestaat niet,' zei ze. 'Wat lief van je, Fred, dat je al je spaargeld in deze prachtige, prachtige verrassing voor mij stopt. Maar er is een probleem.'

'Wat dan?' vroeg Fred dringend. Twee woorden slechts. Het was duidelijk dat hij zich nu ernstig zorgen maakte en hij had het ergste nog niet eens gehoord.

'Mijn moeder vertelde me vanmiddag dat ze me overmorgen meeneemt op vakantie,' zei Jess. Freds schouders zakten naar beneden. Hij leek plotseling 1.70 in plaats van 1.80. Hij zei helemaal niets meer. Een sprakeloze Fred; dat was voor het eerst in de geschiedenis van de wereld.

# 5

'En wat nog erger is,' snikte Jess, 'we gaan heel erg lang weg – weken, misschien wel.' Erg aantrekkelijk was het niet, dit gesnotter. Haar ogen vulden zich met tranen, maar haar neus op de een of andere manier ook. 'Sorry,' zei ze, 'dit is smerig.'

Fred stak zijn arm omhoog, plukte een blaadje van een boom en gaf het aan Jess. 'Veeg hier je neus maar aan af,' stelde hij voor. Jess probeerde het, maar het blad had geen groot absorptievermogen en het snot verspreidde zich alleen maar verder over haar gezicht. Ze gooide het blad weg. Zelfs de natuur was tegen hen.

'Hier,' zei Fred. Hij trok zijn shirt omhoog en veegde daar teder haar gezicht mee schoon. 'Niet huilen,' zei hij zachtjes. 'Stil maar.' Hij trok haar tegen zich aan en ze legde haar hoofd tegen zijn borst.

'Niet meer huilen, nu,' zei hij nogmaals zachtjes. 'Stil maar. Ik, eh, ik neem Jodie wel mee...'

'Fred! Rotzak!' Jess ging rechtop staan, greep zijn shirt vast en schudde hem door elkaar. Ze stoeiden even. Hij lachte, maar meer van wanhoop dan van iets anders.

'Ik maakte maar een grapje!' zei hij. 'Ik zou nog niet met Jodie in één tent willen slapen als ik op Antarctica zat en het mijn enige overlevingskans was!'

'Erg grappig is het niet, hè?' zuchtte Jess. 'Wat een doemscenario. Alles werkt tegen.'

'Gelukkig zijn onze families niet verwikkeld in een bloedvete,' zei Fred. Ze hadden onlangs de video van *Romeo en Julia* gezien. 'Mijn moeder vindt jou een schatje. Ik denk zelfs dat ze mij graag voor jou zou inruilen als je op e-Bay stond.'

'Jouw moeder is cool,' zuchtte Jess.

'Ach, ze gelooft dat jij mijn enige hoop bent om buiten de gevangenis te blijven,' zei Fred. 'Je hebt jouw moeder zeker nog niet over ons verteld?'

Hij maakte een enigszins geïrriteerde indruk. Dit was nogal een kwestie tussen hen aan het worden.

Jess zuchtte. Ze was blij dat Freds moeder haar leuk vond en zij was ook dol op haar. Haar eigen moeder daarentegen had geen bezwaar tegen Fred als individu, maar als ze erachter kwam dat hij Jess' vriendje was, zou ze hem onmiddellijk beschouwen als ongedierte en een jongensval bij de voordeur zetten met een groot stuk kaas erin als lokaas.

'Wat voor soort vakantie wordt het?' vroeg Fred. 'Is alles al geboekt en zo?'

'Ik geloof het niet, mijn moeder kennende,' zei Jess. 'Ze is nogal van de ad-hocbeslissingen. Ze kan maar niet van het idee afstappen dat ze met mij een rondtocht door Engeland moet maken om me te kwellen met geschiedenis en plantkunde en dat soort dingen. We gaan richting St. Ives, in Cornwall, om mijn vader te bezoeken.'

'Ah, je vader,' zei Fred. 'Je wilt toch al tijden naar hem toe? Sterker nog, je hebt me de laatste tijd eindeloos met dat onderwerp verveeld. En de oude excentriekeling wil jou ook vast graag zien.' Fred dacht even na en toen klaarde zijn gezicht op: 'Hé! Misschien vindt je moeder het niet erg om wat later te gaan, als er toch nog niets gereserveerd is. Dan kunnen we eerst naar Riverdene.' Hij klonk niet erg overtuigd. 'Vraag het haar in elk geval. Leg uit wat er aan de hand is. Breng haar mijn vele kwaliteiten in herinnering.'

'Ik zal het vragen,' zei Jess somber. 'Maar verwacht geen wonderen.'

'Nou,' zei Fred. 'Mijn advies is om naar huis te gaan, de afwas te doen en haar te vertellen dat ze de liefste moeder van de hele wereld is. Helaas is de bloemenwinkel al dicht. Je zei het al: de wereld is tegen ons. Je kunt ook proberen om Riverdene voor te stellen als een educatieve ervaring.'

Jess zuchtte. 'Ik zal het proberen,' zei ze. 'Maar om eerlijk te zijn, ik denk niet dat er ook maar de geringste kans is dat ze ja zegt.'

'Maakt niet uit,' zei Fred, 'doe nou maar gewoon je best. En stuur me een sms zodra je iets weet. Ik moet nu naar huis om iets ongeëvenaard gewelddadigs op tv te zien. Waar zouden we zijn zonder ons visuele troostvoedsel. Tarantino, ik kom er aan. Maar mag ik eerst een nachtzoen voorstellen?'

Tien minuten later maakte Jess zich met grote tegenzin los uit Freds armen. 'Stuur me vanavond een sms,' fluisterde hij. 'Ik wacht in uitzinnige spanning af.'

'Dat is goed,' zei Jess. 'Maar dan moet ik eerst die verdraaide mobiel zien te vinden.'

Jess rende de honderd meter tot het tuinhek. Toen draaide ze zich om. Fred stond onder de straatlantaarn naar haar te kijken. Hij hief zijn hand en zwaaide. Er ging een golfje van aanbidding door haar heen.

Hij zwááide zelfs het liefst van de hele wereld! Ze rukte zich los van de aanblik, liep met lood in haar schoenen het tuinpad op en belde aan toen ze ontdekte dat ze haar sleutels was vergeten.

Vijf seconden later rukte haar moeder de deur open, trillend van woede.

'En waar ben jij in 's hemelsnaam geweest?' schreeuwde ze. 'Weet je wel hoe laat het is? Tien over elf! Je bent om vijf uur weggegaan en sindsdien heb ik niets meer van je gehoord! Geen telefoontje, geen sms, niets! Je had wel gewurgd kunnen zijn! Ergens in een greppel kunnen liggen! Ik ben buiten mezelf!'

'Het spijt me,' zei Jess deemoedig en ze schoot zo snel ze kon langs haar moeder naar binnen, ineengedoken als een hond die slaag verwacht. Haar moeder zou haar natuurlijk nooit met een vinger aanraken – met zo'n scherpe tong als de hare, was verbaal aftuigen minstens zo effectief.

'Ik was gewoon bij Flora,' zei Jess.

'Naar bed,' beet haar moeder haar toe. 'Ik wil geen woord meer van je horen! Je bent een nagel aan mijn doodskist. Ik doe mijn best om voor je te zorgen, van je te houden, leuke dingen voor je te verzinnen en wat krijg ik ervoor terug? Een dolk in mijn rug.'

'Sorry, mam,' zei Jess van boven aan de trap. 'Het spijt me echt.' Dit was niet het moment om over een lastige kwestie als Riverdene te beginnen. En het leek erop dat het juiste moment de komende weken, maanden of zelfs jaren ook niet meer zou komen.

# 6

De volgende ochtend kwam Jess met roodomrande ogen naar beneden. Ze had slecht geslapen en gedroomd dat ze het woestijnratje van een vriendin per ongeluk in de magnetron had gestopt. Niet echt de beste manier om de dag te beginnen.

Haar moeder zat nors aan de ontbijttafel en haar oma las glimlachend een krantenbericht over een man die in een tuincentrum tekeer was gegaan met een roestvrijstalen schep.

Jess gaf haar oma een kus op haar voorhoofd en legde haar arm om haar moeder.

'Je hoeft geen zoete broodjes met me te bakken,' zei haar moeder. 'Ik ben nog steeds boos over gisteravond.'

'Laat de zon niet ondergaan over uw toorn, Madeleine,' zei oma. Een opmerkelijke uitspraak uit de mond van een vrouw wier grootste interesse moordzaken was.

'Het spijt me echt, mam,' zei Jess terwijl ze haar mobiel in de oplader zette. Ze had hem na lang zoeken weer gevonden op de grond van haar slaapkamer, onder een stapel muziekbladen. Hij was leeg; alweer een teken dat het universum haar vijandig gezind was. 'Ik kon je niet bellen want mijn mobiel was leeg.' De eerste leugen van vanochtend. Nou ja, het was geen vreselijke leugen – tenslotte was haar mobiel echt leeg. Maar ze had hem gisteren ook niet meegenomen. Het was dus eigenlijk een leugen met een klein stukje waarheid erin, als een bonbon met een smakelijk nootje binnenin. Jess vond dat ze in elk geval wat liegen betreft een goed begin had gemaakt en nam een bakje cornflakes.

'Je had toch bij Flora kunnen bellen?' zei haar moeder terwijl ze haar een boze blik toewierp. Dat kon Jess niet ontkennen. Ze haalde haar schouders op en probeerde schuldbewust te kijken. 'Het spijt me heel, heel erg,' zei ze terwijl ze zo onschuldig mogelijk haar cornflakes wegkauwde. 'Ik zal het nooit meer doen.'

'Hm,' zei haar moeder. Ze stond van tafel op, zette haar bord weg en begon spullen in te pakken. Ze deed een stapel gidsen en kaarten in een kartonnen doos met de tekst 'bonen in blik'. Mijn familie is zó slonzig, dacht Jess. Hadden we maar van die prachtige, elegante leren koffers als de familie van Flora.

Hoe moest ze in 's hemelsnaam het onderwerp Fred en Riverdene aansnijden? Misschien zou ze wel nooit de benodigde moed bij elkaar kunnen schrapen.

'Hoe is het eigenlijk met Flora?' vroeg oma, waarschijnlijk in de hoop dat Flora sinds hun laatste ontmoeting was opgepakt voor moord.

'Ze zit in zak en as,' zei Jess. 'Ze hebben een geweldige vakantie in Costa Rica moeten annuleren omdat haar moeder een been heeft gebroken.'

'Wat?' Jess' moeder stopte met inpakken. 'Nee toch! Wat vreselijk! Zo'n fijne vakantie. Wat is er gebeurd?'

'Ze is uitgegleden in de badkamer,' zei Jess. Ze was opgelucht dat het gesprek eindelijk over iets anders ging dan over haar eigen wandaden. 'Toen ze uit bad stapte.'

'Wat erg! En die arme Flora. Ze heeft zich zo op die vakantie verheugd!' zei haar moeder terneergeslagen. Het begon Jess een beetje te irriteren. Ze mocht best meeleven nu Flora's vakantie niet doorging. Tuurlijk. Maar Jess wilde ook wel wat moederlijke sympathie voor haar eigen tragische dilemma. Hoewel, nu ze erover nadacht: haar moeder *was* haar tragische dilemma.

'Ja,' beaamde ze, 'arme Flora.' Toen kreeg ze ineens een werkelijk briljant plan; het schoot door haar hoofd als een banaan met straalaandrijving. 'Maar we hebben een plan bedacht om haar op te vrolijken.'

'Wat dan?'

'Ze heeft me uitgenodigd om mee te gaan naar Riverdene,' deelde Jess met briljante durf mee. Haar moeder zou er vast geen bezwaar tegen hebben als ze samen met Flora ging. Dan kon ze stiekem met Fred gaan en doen alsof ze met Flora was. Flora zou het spelletje wel meespelen, dat moest! Tenslotte had Jess voor de zomervakantie keer op keer gelogen tegen Flora's vader, toen Flora verkering had met Mackenzie.

'Maar Riverdene is toch volgende week al?'

'Ja, maar...' Jess haalde de overredingskracht uit haar tenen, 'als we nou wat later op vakantie gaan, kunnen Flora en ik toch naar Riverdene? Dan kun jij je ook nog beter voorbereiden op de vervallen abdijen. En het zou zó leuk zijn voor Flora.'

Jess' moeder aarzelde. Je kon zien dat ze nee ging zeggen, ze moest alleen nog wat argumenten verzamelen.

'Geen sprake van,' zei ze. 'Om te beginnen kosten die kaartjes een fortuin.'

'Flora heeft al kaarten gehaald,' zei Jess roekeloos. 'Ze zegt dat ze de mijne best wil betalen. Als een soort vroeg verjaardagscadeautje. Het zou zo leuk zijn voor Flora, mam. Je kon gisteren zien dat ze vreselijk had gehuild. Haar ogen waren helemaal rood.'

Jess' moeder was voor 95% tegen, maar had ook 5% medelijden met Flora, dus misschien zou ze haar eigen vakantie wel uitstellen om Flora een plezier te doen.

Jess wachtte gespannen af. Het was een rare impuls geweest om het aanbod van Fred te laten doorgaan voor een cadeautje van Flora, maar misschien werkte het. Als haar moeder ja zei, zou ze Flora natuurlijk meteen moeten bellen om ervoor te zorgen dat ze volledig op de hoogte was voor het geval haar moeder de moeder van Flora zou bellen... Misschien zou Flora bij nader inzien wel echt mee moeten naar Riverdene, als rookgordijn.

Verdorie! Het werd steeds ingewikkelder. Jess was dol op Flora én dol op Fred, maar stel dat Flora met hem ging flirten?

Stel dat ze rond een kampvuur zouden zitten en Flora's ogen door een rookpluim heen die van Fred zouden ontmoeten. Stel dat dat een snaar in zijn hart zou raken en hij zich plotseling zou realiseren dat hij verliefd was op Flora en niet op haar?

'Geen sprake van,' zei Jess' moeder. Jess was bijna opgelucht. Na de vreselijke hallucinatie van zojuist, vond ze het Riverdene-plan plotseling niet meer zo leuk. En bovendien kreeg ze het onderhand zo benauwd van de leugens die ze haar moeder had verteld, dat ze het gesprek een andere wending wilde geven.

'Goed, goed,' zei ze. 'Ik dacht toch al niet dat je ja zou zeggen, laat maar zitten. Was ik er maar nooit over begonnen. En, oma, hoeveel mensen heeft die vent met de schep omgebracht?'

'Maar ik denk dat ik toch Flora's moeder maar even bel,' zei haar moeder die plotseling de rampzalige ingeving kreeg om attent te zijn. 'Ik moet toch even mijn excuses aanbieden omdat jij niet mee kan naar Riverdene. En ik moet iets laten horen naar aanleiding van dat ongeluk.'

'Nee!' zei Jess wanhopig. 'Niet bellen!'

Haar moeder keek haar uitermate wantrouwig aan. 'Waarom niet?' vroeg ze nadrukkelijk. Jess kon niets bedenken en begon te stotteren. O, hoe had ze ooit zo'n stomme leugen kunnen verzinnen?

'Omdat ze zei... Flora's moeder zei gisteren dat ze genoeg had van al die mensen die de hele tijd maar opbellen om haar te beklagen. Daar voelt ze zich alleen maar slechter door.' Jess moest blozen, zo zwak was haar smoes. Haar moeder kende haar langer dan vandaag en kreeg argwaan toen ze die blos zag.

Vastberaden duwde ze Jess opzij, pakte de telefoon en koos het nummer van Flora.

'Hoe laat is het, lieverd?' vroeg oma als vanaf een andere planeet. Jess zuchtte. Het was tijd om dekking te zoeken. Hier gingen klappen vallen.

# 7

Het was tijd voor een schietgebedje. Terwijl haar moeder wachtte tot Flora's moeder de telefoon opnam, staarde ze boos naar Jess, die probeerde er nonchalant en zelfverzekerd uit te zien, maar stiekem plannen maakte om binnen enkele seconden weg te vluchten – naar de wc bijvoorbeeld, om zichzelf door te trekken.

'Mevrouw Barclay?' zei haar moeder plotseling. Jess' hart zakte met een misselijkmakend gevoel in haar schoenen. 'O, sorry, Freya, je klinkt net als je moeder. Wat naar dat ze zo'n vreselijk ongeluk heeft gehad.' Gelukkig had Jess dáár niet over gelogen.

'Kan ik haar even spreken?' vroeg Jess' moeder. 'O, ik begrijp het... Ik probeer het later nog wel even. Bedankt. Dag!'

Jess' moeder legde de hoorn erop. 'Ze zit in bad,' zei ze. 'En dat duurt natuurlijk wel even, met dat gips en zo. Er is iemand van de thuiszorg om haar te helpen, dus het komende halfuur is ze niet bereikbaar.'

Jess verborg haar immense opluchting achter ontspannen desinteresse. 'Ik ga maar eens wat spullen inpakken,' zei ze. Ze moest direct Flora bellen en haar op de hoogte brengen. Ze griste haar mobiel in het voorbijgaan uit de oplader, terwijl ze haar wanhoop en haast trachtte te verbergen.

'Ja, ik moet zelf ook nog pakken,' zei haar moeder en ze liep naar de trap. Verdorie! Het was onmogelijk om Flora vanuit haar kamer te bellen zonder dat haar moeder het zou horen. 'Ik loop eerst nog even naar de winkel,' zei Jess. 'Ik moet nog kauwgum hebben.'

'Nee, eerst inpakken!' eiste haar moeder met een boze blik. 'Ik heb er genoeg van dat jij overal heen gaat zonder dat ik weet waar je bent. Vooruit, Jess, naar boven en pakken.'

Jess haalde zonder iets te zeggen haar schouders op, maar het liefst had ze haar moeder een natte spons of een rauwe hamburger naar haar hoofd gesmeten. Ze ging naar haar kamer, sloot de deur en luisterde. Was het hier geluiddicht? Ze kon haar moeder duidelijk heen en weer horen lopen, dus die zou ook zonder problemen kunnen verstaan wat zij tegen Flora zei.

Jess zette haar Slipknot-cd op (de hardste cd ter wereld), dook onder haar dekbed en zette haar mobiel aan. Die begon direct opgewonden te bliepen. Wat nu weer? Een sms van Fred en een van haar vader. Shit, die moesten maar even wachten. Razendsnel belde ze Flora's nummer. 'Hallo,' klonk het. Godzijdank, ze nam op. Jess moest alles uitleggen, en snel.

'Luister, Flo, heelergbelangrijk! Mijn moeder gaatjouwmoederbellen. Over Riverdene!'

'Hoezo Riverdene?' vroeg Flora niet-begrijpend.

'Je moetdoenofwijersamenheenwillen...'

Plotseling hield het oorverdovende lawaai van Slipknot op. Jess hoorde de stem van haar moeder, pal naast het bed. Whaaaa!

'Wat is er aan de hand, Jess?' vroeg ze op dwingende toon. Jess had nog net tijd om op haar mobiel uit te doen en onder het kussen te proppen voordat haar moeder het dekbed van haar af trok. 'Wat doe je onder je dekbed?' Tja, wat? Jess zocht koortsachtig tussen haar rondtollende gedachten naar een overtuigende reden.

'Het klinkt misschien raar, mam, maar ik probeer mezelf te trainen om niet langer bang te zijn in het donker.' Haar moeder keek haar uitermate wantrouwig aan.

'Je bent iets aan het uitspoken, ik weet het zeker,' zei ze. 'Ik houd jou in de gaten, meisje. Nou, vooruit. Pakken. En zonder muziek graag. Ik heb genoeg van dat helse lawaai.' En weg was ze, zonder de deur achter zich dicht te doen.

Jess bedacht dat ze haar kamerdeur beter niet meteen kon dichtdoen, dat was wel erg verdacht. Daarom begon ze haar tas in te pakken – onderwil het soort liedje neuriënd dat maagdelijke, engelachtige melkmeisjes zingen als ze bij het ochtendgloren door bedauwde weiden trippelen.

Ze moest nog wel een berichtje naar Flora sturen. Hun moeders konden elkaar nu elk moment gaan bellen en Flora moest dan volledig op de hoogte zijn. Jess greep haar mobiel en stuurde snel een sms. IK HEB TEGEN MIJN MOEDER GEZEGD DAT WE PLANNEN HEBBEN OM NAAR RIVERDENE TE GAAN – DEK ME ALSJEBLIEFT. IK HEB GEZEGD DAT JIJ AL KAARTJES HEBT. SORRY!

Jess weigerde uit principe afkortingen te gebruiken, zelfs in dit soort situaties. Het idee een literator te zijn, sprak haar wel aan en ze was er trots op met de snelheid van het licht heel lange woorden te kunnen typen.

Vijf minuten later ging de telefoon. Jess sprong in paniek op. 'Madeleine, het is de moeder van Flora,' riep oma van beneden.

'Oké, ik neem hem wel in mijn werkkamer!' antwoordde Jess' moeder. Jess luisterde terwijl haar hart tekeerging als de ritmesectie van een sambaorkest.

'Hallo!' hoorde ze haar moeder zeggen met haar enigszins

bekakte telefoonstem. 'Ik wilde even met je overleggen over dat plan van de meisjes om naar Riverdene te gaan. Heeft Flora het daar al over gehad?' Er viel een lange pauze terwijl Jess' moeder luisterde naar wat Flora's moeder antwoordde.

Haar volgende woorden zouden van doorslaggevend belang zijn. Als ze ontspannen klonk, betekende dat dat Flora het bericht had gekregen en dat Jess gered was. Maar als ze boos klonk, belandde Jess in een helse put waar ze door in rood lycra gestoken duivels met drietanden zou worden belaagd.

'O. Ja ja. Dat dacht ik al... Nee, dat vind ik ook. Natuurlijk zijn ze te jong. Trouwens, Jess gaat morgen met mij mee op vakantie, dus het had toch niet gekund.' Ze klonk niet woedend, alleen geïrriteerd. Er ging een golf van opluchting door Jess heen.

'Ja, ik heb het gehoord, wat vervelend,' ging haar moeder door. 'Je bent vast vreselijk teleurgesteld.'

Jess hoorde hoe haar moeder het gesprek beëindigde. Een paar seconden later stapte ze zonder kloppen Jess' kamer binnen. 'Nou, dat is ook weer opgelost,' zei ze. 'Het spijt me, lieverd, maar jij en Flora zijn niet oud genoeg om naar Riverdene te gaan. Volgend jaar misschien, goed?'

'O, goed hoor, mam,' zei Jess opgelucht. Ze was op het nippertje ontsnapt uit een kleverig web van leugens. Op het nippertje.

Nu moest ze alleen nog het droeve nieuws aan Fred vertellen. Zodra haar moeder weg was, klikte Jess op de berichten van Fred en haar vader. Die van Fred was van gisteravond. HOE IS HET AAN HET FRONT? IS ER GEEN HOOP? ZULLEN WE SAMEN WEGLOPEN? IK KAN NIET SLAPEN TOT IK IETS VAN JE HEB GEHOORD. ZZZZZ... SNURK...

Arme Fred! Jess voelde zich vreselijk schuldig dat ze hem de avond ervoor niet had kunnen sms'en. Ze moest haar telefoon vanaf nu altijd bij zich houden en nooit meer kwijtraken. De sms van haar vader was zoals gewoonlijk een gek, grappig sms'je.

MIJN LIEVE KIND, IK HEB GEHOORD DAT JE NAAR CORNWALL KOMT OM ME TE BEZOEKEN. WAT EEN OPWINDEND IDEE. TEL DE DAGEN AF. BEN DRUK BEZIG NEUSHAAR TE KNIPPEN EN SPINNE-WEBBEN VAN GEZICHT TE HALEN. BEN JE GEGROEID SINDS PA-SEN? HEB ZIN OM HELE HUIS ROZE TE SCHILDEREN TER ERE VAN JE KOMST. LIEVS, DE VADER.

Ook over dit bericht voelde Jess zich schuldig. Het was lief van haar vader om zo uit te kijken naar haar komst, terwijl zij niets liever wilde dan hier blijven!

Ze was uitgeput door deze onverwachte, dubbele dosis schuldgevoel en bracht het niet op om de berichten te beantwoorden. Ze moest Fred zeggen dat Riverdene niet doorging en dat ze morgen met haar moeder zou vertrekken. Maar niet per sms, dat zou wreed zijn. Ze moest het persoonlijk vertellen. Ze stuurde een sms'je. 7 UUR BIJ DE INGANG VAN HET PARK? Er kwam direct een antwoord.

WAT IS ER AAN DE HAND? WAAROM HEB JE GISTERAVOND NIETS LATEN HOREN? HEB JE AL ZO LANG NIET GEZIEN. WEET NIET MEER HOE JE ERUITZIET. HELP ME EVEN: WIE BEN JE OOK ALWEER? Plotseling zat Jess weer helemaal in zak en as bij de gedachte hoe leuk zij en Fred het hadden kunnen hebben op het festival. En als twaalf uur zonder elkaar al ondraaglijk was, hoe moest dat dan drie weken? Er leek geen oplossing te zijn.

Maar goed, Fred zou het vast wel begrijpen. En ze konden contact houden. Er waren vast internetcafés; dan konden ze msn'en én bellen. En ze zou hem elke dag een ansicht sturen. Misschien zelfs wel hele brieven.

Tegen lunchtijd ging de telefoon weer. Ze waren allemaal beneden. Jess dekte de tafel, haar moeder maakte soep en oma zat de rechtbankverslagen van moordzaken door te nemen.

'Wie is dat nu weer?' zei Jess' moeder. 'Ze bellen ook altijd als ik sta te koken. Houd de soep even in de gaten, Jess, die mag niet koken.' Ze liep naar de telefoon en nam op.

'Hallo, met Madeleine Jordan.'

Jess roerde in de soep en zette het gas laag. Maar ze merkte aan hoe haar moeder zich gedroeg dat er iets aan de hand was. Iets ergs. 'Wat?' riep haar moeder. 'Wát? O. Nee, nee, daar was ik niet van op de hoogte. Maar het verklaart veel.' Ze draaide zich om en wierp Jess een withete blik toe die de soep aan de kook had kunnen brengen.

'Er is een moord gepleegd in Bognor,' zei oma niet ter zake doend. Jess sidderde. Binnen enkele seconden kon hier ter plekke ook wel eens een moord gepleegd worden. 'Nee, het spijt me, daar kan geen sprake van zijn,' zei haar moeder nogal kortaf tegen de persoon aan de andere kant van de lijn. Jess' gedachten tolden rond. Wie het was, wist ze niet, maar ze wist wel dat ze tot aan haar kin in de olifantenstront zat.

'Ik vind Jess nog lang niet oud genoeg, en we gaan morgen trouwens op vakantie... Ja... Tot ziens.' Haar moeder smeet de hoorn op de haak en draaide zich naar Jess om, met vuurspuwende ogen.

'Dat was de moeder van Fred,' zei ze. 'Die wilde weten of je liever twee tenten mee wil naar Riverdene in plaats van één. Ze had nog wel een reservetent. Aardig van haar, hè?'

# 8

Jess deed haar mond open om te protesteren, maar haar moeder was alleen even gestopt om adem te halen en ging nu met onverminderde woede verder. 'Dus het was Freds idee om naar het festival te gaan. Hij heeft de kaartjes. En jij durfde dat niet aan mij te vertellen.'

'We zouden met zijn allen gaan!' riep Jess. 'Met een hele groep! Ja, het was in eerste instantie Freds idee, maar het ging om een hele groep: Flora, Jodie...' Jess was een moment zo in paniek, dat haar hoofd leeg werd en ze zich de namen van haar vrienden niet meer kon herinneren. Daarom verzon ze er een paar. 'Gloria, Toby, Hamish, Max, Ceo... Ben J., Ben S., Ben... X...'

'Van die mensen heb ik nog nooit gehoord!' schreeuwde haar moeder. 'Het kunnen wel drugsdealers zijn. Waarom doe je altijd dingen achter mijn rug om? Ik weet nooit wat er speelt en je bent nooit eerlijk.'

'Jij bent nooit eerlijk!' ontplofte Jess. 'Ik vraag al jaren waarom jij en papa uit elkaar zijn en ik krijg nooit een eerlijk antwoord!'

Oma zat naar de ruzie te kijken als een scheidsrechter naar een tenniswedstrijd. Ze stak plotseling een vinger op en in de korte stilte die volgde zei ze: 'Ik wil je er even aan herinneren, Madeleine, dat jij vroeger ook jong en onbesuisd bent geweest

– niet dat ik vind dat Jess onbesuisd is, natuurlijk.'

Lieve oma! Jess besloot ter plekke om haar eerste kind naar haar te vernoemen. Niet 'oma' natuurlijk – dat zou sociaal gezien niet handig zijn. Maar oma's voornaam, Valerie, zou vast vroeg of laat weer in de mode komen. Jess' moeder wierp oma een geïrriteerde blik toe en Jess een woedende.

'Ik weiger de rest van de avond te verdoen met gekibbel. Naar boven met jou, Jess, en pak je tas verder in. We moesten allemaal maar eens vroeg naar bed.'

Het leek erop dat Jess moest afzien van haar plan om Fred om zeven uur bij de ingang van het park te ontmoeten. Ze ging naar haar kamer en stuurde een sms:

JE BEGRIJPT WEL DAT MIJN MOEDER DOOR HET LINT GING. SORRY. KAN VANAVOND NIET MEER WEG. GEDRAAG JE TIJDENS MIJN AFWEZIGHEID. EN SMS ME. ALSJEBLIEFT!

Er kwam onmiddellijk een antwoord. HART GEBROKEN MET EEN KRAK DIE IN IJSLAND HOORBAAR WAS. IK VERKOOP DE KAARTJES VOOR RIVERDENE EN GA VAN HET GELD EEN BERG GEWELDDADIGE VIDEO'S KOPEN. SCHRIJF ME AF EN TOE EEN BRIEF, OKÉ? IK HOEF GELUKKIG TOCH NIET TE ANTWOORDEN, WANT JIJ HEBT GEEN VAST ADRES. Jess was enigszins getroost bij het idee dat ze Fred zou kunnen schrijven. Ze begon meteen.

Lieve Fred, dit is de eerste van een serie brieven die de verschrikkingen van het reizen in de 21ste eeuw beschrijven. Ik ben hier in mijn eenzame slaapkamertje bezig met pakken. Alleen zwarte kleren, natuurlijk. Ik ben tijdens deze reis immers in de rouw. Ik ga bij zonsondergang schilderachtig poseren tegen de achtergrond van spookruïnes, met raven in mijn haar en volkomen buiten zinnen, terwijl ik 'Fred, Fred...' mompel.

Jammer dat je naam niet een wat tragischer klank heeft. Fred. Hm, weinig allure. Ik denk dat ik je een andere naam ga geven. Archibald, bijvoorbeeld. Of heb je liever Hamlet? Hamlet Parsons; dat heeft wel wat.

Ik moet me ook nog voorbereiden op vroeg opstaan. Mijn moeder heeft een overdosis aan geschiedkundige gidsen ingepakt en ik vrees het ergste. 'Jess, luister je wat ik zeg? Dit is de steen waar koning Egbert de Hardgekookte door de Vikingen met mayonaise werd geprakt in 809 na Christus. En dit is de toren waar Sint Kylie de Heilige Acne ontving.'

'In deze tuin vroeg prins Winderig Lady Isabel Suiker-kransje in 1678 ten huwelijk. Deze bloem is een symbool van hun liefde en tegelijkertijd een remedie tegen extreem slechte adem. Het heet klein stinkkruid. Als je het op je tandvlees smeert, gaat het tintelen.' Welnu, lieve Hamlet, morgen word ik weggesleurd van de heerlijke stad waar jij vertoeft. Ik zal schreeuwend langs landweggetjes vol ga-lopperende kuddes eekhoorntjes worden getrokken.

En jij, jij zult hier onbeschermd tegen al het kwaad achter-blijven. Mooie meisjes zullen je op straat passeren en je veelbetekenende blikken toewerpen. Ze zullen zogenaamd per ongeluk tegen je opbotsen op de hip-hopafdeling van de platenzaak met de dubieuze naam Virgin Megastore. Ze zullen sexy lopen tennissen als je een wandelingetje door het park maakt, hun gebronsde armen verleidelijk glanzend in het zonlicht. Hoe zul je ooit weerstand kun-nen bieden?

Er was één bepaald meisje waar Jess zich met name zorgen over maakte. Flora, natuurlijk. Zij en Fred hadden de romantische achtergrond van een kampvuur op een festival misschien niet eens nodig. Ze konden elkaar zomaar tegenkomen in de winkelstraat en besluiten koffie te gaan drinken. En dan kwam van het een misschien wel het ander.

Uiteindelijk deed ze een schietgebedje of God alle meisjes uit de buurt kon treffen met steenpuisten en Flora kon laten stinken als een vuilnisbak vol rottende kool – alleen voor de duur van Jess' vakantie. Daarna viel ze in een onrustige slaap.

# 9

De volgende ochtend was het vroeg dag. Normaal zou Jess zich (in elk geval in de vakantie) om kwart over acht nog eens lekker hebben omgedraaid om weer heerlijk weg te zinken in een droom over donkere straten waar ze werd achtervolgd door een gorilla in een tutu. Maar vandaag zaten ze om kwart over acht al op de snelweg.

'O, kijk die hemel nou toch! Heb je ooit zulk mooi blauw gezien?' riep Jess' moeder hysterisch. Haar normale karakter – voornamelijk streng en zorgelijk – leek vervangen door een verontrustende, waanzinnige vreugde.

Dat gebeurde af en toe als haar moeder de kans kreeg om te zwelgen in natuur of geschiedenis. Die hingen dreigend boven dit uitje. Jess zuchtte.

'Blauw is mijn lievelingskleur!' ging haar moeder door alsof ze er nog niet genoeg over gezegd had. 'Er zijn zo veel mooie, blauwe dingen. Saffieren... de zee.'

'Wat is jouw favoriete kleur, Jess?' vroeg oma vanaf de passagiersplaats.

'Zwart,' zei Jess. Ze was van top tot teen in zwart gekleed.

'Ach, dat is gewoon een fase, dat zwart!' zei haar moeder. 'Daar groei je wel overheen.' Jess besloot direct om de rest van haar leven alleen nog maar zwart te dragen. Ze zou zelfs in het zwart trouwen (als ze ooit trouwde, tenminste) in een lange, zwartsatijnen jurk, met een boeket zwarte bloemen, gitzwarte oorbellen en een diepzwarte sluier. Op haar schouder haar huisraaf Nero.

Fred zou daarentegen wit dragen. Althans, ze hoopte dat ze met Fred zou trouwen. Ze kon zich in elk geval geen ander voorstellen. Ja, Fred zou een wit pak, witte schoenen en een witte roos in zijn knoopsgat dragen. En misschien, als excentriek accent, witte contactlenzen.

Het daaropvolgende uur fantaseerde Jess over haar huwelijk met Fred. Ze zouden trouwen op eerste kerstdag, zodat ze hun trouwdag nooit konden vergeten, en op het menu zouden gefrituurde nasiballen staan.

'De oude Britten en de Kelten aanbaden het paard,' zei haar moeder plotseling, op het moment dat Jess net zou bevallen – zonder pijn, bloed of slijm – van een aanbiddelijke tweeling genaamd Freda en Freddo. 'Je hebt vast die grote witte kalkpaarden wel eens gezien op een heuvelrug – installatiekunst uit het bronzen tijdperk.'

'Wanneer was het bronzen tijdperk?' vroeg oma.

'Ongeveer twee- tot vierduizend jaar geleden,' zei Jess' moeder. 'Je had het vast enig gevonden, met al dat zinloze geweld.'

'Heerlijk, lieverd!' zei oma. 'Ik ben dol op programma's over archeologie. Vooral als ze weer eens een schedel vinden die met een zwaar voorwerp is ingeslagen.'

Jess dacht wel eens dat haar oma in een vorig leven een wreed en meedogenloos krijgsheer was geweest.

'Ik wil je een afbeelding laten zien,' zei haar moeder. 'In Dorset, in een heuvelrug, uitgehakt in de kalk. Maar het is geen paard.'

Gelukkig maar, dacht Jess. Ze had nooit iets met paarden gehad. Flora kon ze zich wel galopperend over een strand voorstellen, haar haar golvend in de wind als in een shampooreclame, maar ze wist zeker dat als ze zelf ook maar in de buurt van een paard zou komen, ze ondersteboven in een heg zou belanden, met haar bh-bandjes vastgehaakt achter een vogelnestje.

Als ze dan toch naar stomme Keltische kunst op een heuvel moesten kijken, dan liever een zacht poesje of een schattige pup met een glanzend nat neusje.

'Nou, we zijn er,' zei haar moeder. Ze giechelde stom terwijl ze het parkeerterrein op reed. 'Nog niet kijken. Stap maar uit en houd je ogen op de grond gericht.' Jess hoopte dat haar moeder dit verrassingsgedoe niet te vaak zou uithalen. Het was behoorlijk kinderachtig.

'Oké!' klonk het. 'Kijk nu eens naar de overkant van het dal.'

'O, nee hè!' Jess ging bijna dood van schaamte. Aan de andere kant van het dal, op de tegenoverliggende heuvelrug, uitgehakt in kalksteen, net als het witte paard, was een enorme afbeelding van een blote man te zien. Geen detail ontbrak, zelfs zijn schaamdelen niet. Integendeel. Nooit had iemand zich minder geschaamd voor zijn delen.

## 10

'Gedver!' gilde Jess. 'Mam! Wat goor. Waarom moet je ons dat nou laten zien? Dit is pure porno!'

'Ik geef toe dat zijn klokkenspel behoorlijk groot is uitgevallen,' grinnikte Jess' moeder.

'Klokkenspel!' Jess kromp van ongeloof ineen. 'Wil je dat soort dingen niet zeggen! Niet eens dénken!'

Oma staarde ingespannen en met half dichtgeknepen ogen naar de afbeelding.

'Ik heb de indruk dat zijn hoofd veel kleiner is dan zijn dinges,' zei ze.

'Ja, dat heb je met mannen,' zei Jess' moeder. 'Hersens van niks. Dit is een soort vruchtbaarheidsgod. Ze dachten ooit dat hij duizenden jaren oud was, maar nu is men van mening dat hij dateert van een paar honderd jaar geleden.'

'Die vruchtbaarheidsgoden toch!' zei Jess. 'Altijd liegen over hun leeftijd! Proberen in het geschiedenisboek te komen, zoals ik zou proberen in een film voor achttien jaar en ouder te komen. Niet dat ik dat ooit zou doen, natuurlijk.'

'Nou, dat was dan de Reus van Cerne Abbas,' zei haar moeder terwijl ze weer in de auto stapten. 'En nu moesten we maar eens op zoek naar een leuke plek om te lunchen.' Dat was de eerste verstandige opmerking die ze die ochtend maakte.

De leuke plek om te lunchen bleek vlakbij, in het dorp te zijn.

Jess verslond een enorm stuk aardappelkaastaart. De volgende uitdaging was om de boeren binnen te houden, toen de halve liter cola onaangenaam klotste tegen de enorme, calorierijke lunch met de omvang van een klein, maar smakelijk kind.

De ober was een stuk: breed, met donker, krullend haar en lange, donkere wimpers. Toen hij de dessertkaart bracht, keek Jess' moeder op en grijnsde uitdagend.

'Heeft iemand wel eens tegen je gezegd dat je op Tony Curtis in *Some like it hot* lijkt?' vroeg ze. De jongen haalde zijn schouders op, schudde zijn hoofd en lachte aarzelend.

'De meeste mensen vinden dat ik op de drietenige luiaard lijk,' zei hij.

'O, luiaards zijn zo schattig!' zei Jess' moeder met een afschuwelijk, schalks lachje. 'We lijken allemaal op een bepaald dier. Toen Jess een baby was, noemden we haar eendje vanwege haar opgekrulde bovenlip.'

Iedereen aan tafel, iedereen in het café – misschien zelfs iedereen in de wereld – draaide zich om om naar Jess te kijken. Dit was het ergste moment in haar leven sinds het incident met de met minestronesoep gevulde bh-vullingen. Ze staarde door een rode bloosmist woedend naar haar moeder, en probeerde niet te erg op een eend te lijken.

'En op welk dier lijk jij, mam?' siste ze. 'Op een slang?'

'Ik wil nog wel een klein stukje appeltaart met slagroom,' zei oma, die handig de aandacht naar de menukaart verlegde. 'En jij, Jess? Een karamelpuddinkje?'

Maar Jess wilde helemaal geen pudding meer. Haar buik deed al een beetje pijn. Het zou nogal een domper op de vakantie zijn als ze zou ontploffen voor de eerste dag goed en wel voorbij was.

Lieve Fred, dacht Jess (ze zou het later wel opschrijven), mijn moeder is volledig doorgedraaid – ze dringt ons pornografie uit het bronzen tijdperk op, flirt met een ober die haar zoon had kunnen zijn en vernedert me in het openbaar. Wat een heerlijke vakantie!

'Ik heb een *bed & breakfast* besproken in dit dorp,' zei Jess' moeder, die de pudding ook maar oversloeg. 'De Seringen, heet het. Ik ga vast even kijken of onze kamers al klaar zijn.'

'Ik ga wel mee,' zei Jess grimmig. Ze moest haar moeder even ernstig onder vier ogen toespreken. Oma vond het prima om in het café op hen te wachten met een stukje appeltaart en een kopje thee. Jess en haar moeder liepen de dorpsstraat in.

'Nou moet je eens goed luisteren, mam,' zei Jess. 'Geen naakte reuzen meer tijdens dit uitje! En probeer alsjeblieft van de obers af te blijven.'

'Ach, houd toch op,' grijnsde haar moeder. 'Ik heb zo'n saai jaar gehad in de bibliotheek. Ik weet wel dat ik iets te ver ga, maar ik voel me voor het eerst in jaren weer eens uitgelaten. Die wolken! Die lucht! De middeleeuwse kerkjes! Ik voel me net een schoolkind dat vrij heeft!' Bizar. Meestal was Jess degene die zich misdroeg en haar moeder die haar de wet voorschreef.

'Ja, zet me maar lekker voor gek in het openbaar!' zei Jess. 'Ga je vanavond bedrinken en ruk alle kleren van je lijf. Doe maar.'

'Goed dan, ik zal proberen me te gedragen,' zei haar moeder toen ze bij De Seringen aankwamen. 'Maar misschien ga ik wel weer door het lint als ik iets moois zie.'

Voor de ingang van het pension stond een dubbel, smeedijzeren hek met aan beide kanten pilaren met een stenen bal erop.

'Wat een prachtig hek!' zei haar moeder. 'En wat een enig paadje!'

Ze was volstrekt ontoerekeningsvatbaar. Nog even en ze ging het asfalt kussen!

De deur werd geopend door een lange, dunne man met een grijs sikje. Jess' moeder stelde zich voor en begon de man meteen complimentjes te maken over de tuin.

'Wat een prachtig hek!' dweepte ze. 'En wat hebt u een fantastische stenen ballen!'

'Dat wil ik graag op schrift hebben,' antwoordde de oudere heer schalks, duidelijk wel in voor wat gewaagd geflirt. De twee volwassenen barstten uit in dubbelzinnig gelach, wijl Jess gekweld naar de tegels van het terras staarde en, niet voor het eerst, wenste dat ze in Timboektoe zat.

De bed & breakfast had prachtig hoge kamers die grijs, geel en blauw waren geverfd. De kamer van Jess keek uit op een beekje en terwijl haar moeder terugging om de auto en oma op te halen, ging Jess op haar bed liggen en zette haar mobiel aan.

Twee berichten! Een van Fred en het andere van haar vader. Ze las eerst dat van Fred. IK HEB BESLOTEN DAT IK EEN BAANTJE GA ZOEKEN. GA ENORME VERRASSING BIJ ELKAAR SPAREN VOOR ALS JE TERUGKOMT.

Deze jongen was een engel. Jess stuurde haastig een antwoord, waarin ze de verschrikkingen van het tochtje tot nu toe beschreef en beloofde met hem weg te lopen zodra ze thuiskwam.

Het bericht van haar vader was excentriek als altijd. HEB JE GISTEREN MIJN SMS GEKREGEN? VERHEUG ME ER ENORM OP JE TE KUNNEN VERWELKOMEN IN MIJN NEDERIG STULPJE. HEB EEN KARRENVRACHT KATTENVOER EN EEN VLOOIENBAND BESTELD.

Jess sms'te terug: KAN NIET WACHTEN OM JE MEUBELS TE BEKRASSEN EN JE HEERLIJKE RATTEN TE VANGEN.

Hoewel ze Fred nog steeds vreselijk miste, verheugde Jess

zich er wel op haar vader weer te zien. Hij had een bizar gevoel voor humor. Haar moeder niet. Waarom waren zij ooit op elkaar gevallen? Het was een raadsel. Misschien moest Jess hem het vuur eens na aan de schenen leggen. Ja, ze zou hem met de rug tegen de muur zetten en stevig ondervragen.

Later op de middag kwam er nog een sms van Fred: HEB EEN GAAF BAANTJE! BIJ EEN CATERAAR. OBER. MORGEN EEN SJIEKE BRUILOFT, HOOP DAT IK VEEL FOOIEN KRIJG. LIEFS, FRED. Jess was natuurlijk blij voor hem. Maar tegelijkertijd wilde ze dat hij niet zo gemakkelijk werk had gevonden. Ze had het niet erg gevonden als hij de hele tijd op de bank tv was blijven kijken. Sterker nog: dat had ze liever.

WERKEN ER OOK MOOIE MEISJES? sms'te ze terug. NIET DAT HET MIJ IETS UITMAAKT, NATUURLIJK. Freds antwoord kwam direct binnen.

ALLEEN MAAR MEISJES. SOORT SUPERSLANKE SUGABABES. Wat bedoelde hij daar nou weer mee, dacht Jess met angst in het hart. Ze wist zeker dat morgenavond een van de superslanke Sugababes zou toeslaan. Fred hield erg van zoet. Dit was het begin van het einde.

# 11

De volgende ochtend volgde Jess de heerlijke geur van bacon naar beneden. Ze was enigszins van haar stuk gebracht toen ze zag dat haar oma de as van haar opa naar de eetkamer had meegenomen. Zijn urn stond pontificaal op tafel, naast het peper- en zoutstel. Jess was sprakeloos en probeerde zich op haar cornflakes te concentreren.

'Toen ik ongeveer zo oud als jij was,' zei haar moeder plotseling, 'was ik verliefd op iemand.'

'Alsjeblieft, mam!' riep Jess. 'Houd die gênante ontboezemingen maar voor je.'

'Ik zeg het alleen maar omdat het te maken heeft met de plek waar we vandaag naartoe gaan,' zei haar moeder.

'Wie was het dan?' vroeg Jess. 'Zo'n popster uit de jaren zestig? Een gerimpelde Rolling Stone?'

'Nee,' zei haar moeder. 'Het was nogal vreemd, eigenlijk, want hij was al veertig jaar dood. Zijn naam,' ging ze verder met de verlegen maar triomfantelijke uitdrukking van iemand die een verhouding opbiecht met een beroemdheid van de eerste orde, 'was Lawrence of Arabia.'

'Wie?' vroeg Jess. Ze had de naam wel eens gehoord, maar wist niet goed in welk verband.

'In de jaren zestig was er een avonturenfilm over hem,' zei haar moeder, 'en een paar jaar geleden is die opnieuw uitgebracht. Hij was een held in Noord-Afrika tijdens de Eerste Wereldoorlog. Na de oorlog trok hij zich als een kluizenaar terug in een cottage ergens in een uithoek van Dorset.'

Jess hield op met luisteren. Ze was alleen maar geïnteresseerd in een sms van Fred. Ze kon het niet laten zichzelf te kwellen met de gedachte aan hem op die bruiloft, omringd door superslanke Sugababes. Het feit dat hij ze zo omschreven had irriteerde haar. Had hij niet 'roedel wolvinnen' of 'kudde koeien' kunnen zeggen, gewoon, om haar gerust te stellen, al was het niet waar?

'Ik weet nog wel dat jij een poster van *Lawrence of Arabia* aan je muur had hangen,' zei oma.

'O ja?' zei haar moeder een beetje gegeneerd. 'Daar weet ik niets meer van.'

'Droomde je ervan met hem te trouwen, al was hij dood?' vroeg Jess.

'Nee, ik fantaseerde niet over een huwelijk,' zei haar moeder. 'Ik denk dat ik Lawrence of Arabia wilde *zijn*.'

'Hij schijnt niet echt een huwbare man te zijn geweest,' zei oma met een dubbelzinnige knipoog.

'Hoe bedoel je, oma?' vroeg Jess. 'Was hij homo of zo?'

'Dat hoorde niet in die tijd, lieverd,' zei oma. 'Mensen praatten daar niet over. Mannen die nooit trouwden werden "verstokte vrijgezellen" genoemd.'

'Ik denk zelf dat hij gewoon celibatair was,' zei haar moeder. 'Maar hij kan best homo geweest zijn, er zijn mensen die dat denken. Nu maakt dat natuurlijk niet meer uit. Statistisch gezien is één op de tien mensen homoseksueel. Al wordt ook dat cijfer wel eens in twijfel getrokken.'

Dit werd een lezing over seksuele statistieken. Jess' gedachten dwaalden weer af naar die vreselijke Sugababes.

'Het kan zelfs gebeuren,' ging haar moeder verder, 'dat sommige mensen die je best goed kent homoseksueel blijken te zijn.' Jess was er plotseling weer helemaal bij.

'Mam, nou ga je me toch niet vertellen dat je lesbisch bent, hè? Ik ben dol op lesbiennes, die zijn onwijs cool. Maar ik houd niet van schokkende onthullingen aan het ontbijt!'

'Nee, nee, natuurlijk niet!' zei haar moeder. 'Doe niet zo raar. Maar genoeg hierover.' Ze sloeg haar servet uit en veegde haar mond af. Toen ging ze betalen en al snel waren ze weer op pad, op weg naar de cottage van Lawrence of Arabia.

Jess zakte langzaam weg in een vreselijke, maar dwangmatige fantasie over Fred als ober, tussen drie bloedmooie meisjes in zwarte rokjes die vochten om zijn aandacht.

In haar fantasie kwam een blondine met de naam Grace voor, die zou appelleren aan Freds intellect. Jess wist zeker dat er ook een brunette was met sensuele lippen en de naam Selina. Die deed een appèl op zijn lagere instincten. En dan de ergste: de roodharige Charlie – wat een ondeugende naam toch, voor een meisje – die niet enorm aantrekkelijk was, maar wel een grote persoonlijkheid bezat en met wie je altijd kon lachen. Jess vond Charlie het gevaarlijkst.

'Hij is op een tragische manier om het leven gekomen.' Haar moeder onderbrak haar dagdroom met nog meer slaapverwekkende details. 'Moeten we de volgende links hebben, oma?'

'Nee, nog eentje verder,' zei oma die met vertederend enthousiasme de kaart las. 'Bij een telefooncel, volgens de kaart. Hoe is hij gestorven, lieverd? Ik kan het me niet meer herinneren.'

'Hij is zeker verdronken in een pan knollensoep,' opperde Jess.

'Nee,' zei haar moeder met een devoot gezicht. 'Het was heel tragisch. Hij reed altijd rond op een motorfiets. Hij week uit voor twee boodschappenjongens, raakte van de weg af en verongelukte. Hij is niet meer bij bewustzijn geweest. Ik geloof dat hij nog een paar dagen in het ziekenhuis heeft gelegen, balancerend tussen leven en dood. Maar uiteindelijk is hij overleden.'

'Zou hij zo'n bijnadoodervaring hebben gehad?' peinsde oma. 'Daar lees je vaak over. Heel veel mensen krijgen dat. Ze liggen op hun bed en plotseling zweven ze vlak onder het plafond en horen een stem zeggen – rechtsaf bij die friettent, lieverd – "jouw tijd is nog niet gekomen". Gelukkig,' ging oma door, 'had hij geen vrouw en kinderen, dat scheelde een hoop verdriet.'

'De natie rouwde,' zei Jess' moeder op gewichtige toon alsof ze in een kathedraal op de kansel stond. 'En misschien maakt het feit dat hij vrouw noch kinderen had het nog wel tragischer.' Ze zuchtte, alsof ze er alles voor over had gehad om de zoon van Lawrence of Arabia te dragen, in plaats van de nogal stevig uitgevallen en slechtgehumeurde dochter van Tim Jordan.

Al snel kwamen ze aan bij Clouds Hill, waar Jess stevig uitgevallen en slechtgehumeurd uit de auto klom. Het was een verlaten plek. De wind liet het gras en de bladeren spookachtig bewegen. Jess' moeder keek omhoog naar de wolken en er kwam een vreemde, dromerige uitdrukking op haar gezicht.

'Clouds Hill... je hebt geen idee hoe graag ik hier altijd heen heb gewild,' mompelde ze terwijl ze naar de ingang liep.

Clouds Hill was een merkwaardig klein huisje. Er was geen elektriciteit, het was er donker en onaantrekkelijk en er hing een raar luchtje.

'Hij had wel een behoorlijke bank voor zichzelf kunnen kopen,' zei oma. 'Ik vind die stoelen maar niks; ze zien er vreselijk oncomfortabel uit. Ik krijg al rugpijn als ik er alleen maar naar kijk.'

'Het idee dat hij hier echt heeft gezeten!' zei Jess' moeder terwijl ze gefascineerd naar de stoel staarde waar het charismatische achterwerk van Lawrence of Arabia op had gerust. 'Ik was gek op hem toen ik jong was, maar het was veel beter voor me geweest als ik een echt vriendje had gehad, van mijn eigen leeftijd.'

Hm, dacht Jess, zit ze nou te vissen? Vermoedt ze misschien dat Fred en ik iets hebben? Wat zou het gaaf zijn als haar moeder van Fred wist en het nog goed vond ook. Maar haar moeder was altijd zo kritisch over mannen dat Jess nog niet de moed had gehad om het onderwerp aan te roeren. Of was dit haar kans?

Haar hart begon onbegrijpelijk hard te bonken. Ze moest nu iets zeggen. Fred wilde graag dat ze het haar moeder vertelde.

'Het toeval wil,' zei ze terloops en luchtig, 'dat ik een echt vriendje heb – iemand van mijn eigen leeftijd.'

Haar moeder draaide zich met een ruk om. De uitdrukking op haar gezicht was in één ogenblik veranderd. Haar hemelse hunkering naar de geest van Lawrence of Arabia had plaatsgemaakt voor een blik van schrik en angst, alsof ze plotseling in een bloemenperkje een slang had ontwaard.

'Wat?' siste ze. 'Hoezo? Waar heb je het over?'

O, nee hè, dacht Jess. Mislukt. In een oogwenk was de dartele vakantiemoeder veranderd in de bezorgde, afkeurende oude heks van altijd. Jess moest zich er met een grap uit redden.

'Ja,' ging ze door, 'heb ik het nog niet over hem gehad? Hij heet Siegfried de Montenegro en zijn familie heeft miljoenen verdiend in de marsepeinindustrie. Ze wonen in een kasteel op een heuvel in Transsylvanië. We willen in december trouwen en ik krijg een horde vampiers in roze en wit als bruidsmeisjes.'

Het gezicht van haar moeder klaarde op. Ze schudde haar hoofd in ongeloof, alsof Jess zojuist een smakeloze grap had gemaakt en begon weer te zwijmelen bij het meubilair van Lawrence of Arabia. Oef! Dat was een benauwd moment geweest.

Jess was bedroefd. Had haar moeder maar gezegd: 'Wat? Fred? Uitstekende keus – ik ben dol op die jongen. Hij mag altijd langskomen, dan zal ik speciaal voor hem wentelteefjes maken.' Maar het leek erop dat dat nooit zou gebeuren. Jess en Fred zouden zich nog jaren gedeisd moeten houden. Tot ze van middelbare leeftijd waren, of ten minste vijfentwintig.

Jess sloot zich voor alles af. Clouds Hill ging volledig aan haar voorbij. Ze vroeg zich af hoe het ober Fred op de bruiloft verging.

**12**

Jess stelde zich een enorme tent op een gazon voor, en allemaal chic aangeklede mensen die rondliepen onder enorme eikenbomen. Fred schonk champagne in, gekleed in een zwart pak met een schattig vlinderstrikje.

'Kan ik u nog ergens mee van dienst zijn?' vroeg hij een beeldschone vrouw in een pastelblauw mantelpakje onder een gigantische hoed met struisvogelveren. Het klonk op de een of andere manier nogal dubbelzinnig, alsof hij aanbood achter de tent zijn tong in haar mond te stoppen.

'Kijk nou dan toch!' zei de vrouw met zwoele stem. Ze heette, eh, Mathilde. Mathilde Loodesteyn-van Veurthuysen. 'Ik was het helemaal niet van plan,' fluisterde ze, 'maar nu jij het zo aanbiedt. Wat doe je eigenlijk als je niet bedient?'

'Dan schrijf ik scenario's,' zei Fred luchtigjes. 'Ik werk nu aan een stuk over een konijn dat de wereld redt.'

'O, dat klinkt heel opwindend!' riep Mathilde L-vV. uit. Op de een of andere manier was het pastelblauwe pakje verdwenen; ze droeg nu een glitterzwempak en glanzende oorbellen die er aan haar perfect gevormde oorlellen uitzagen als hemelse dauwdruppels. 'Ik zal je voorstellen aan mijn vader, die is regisseur. Kom maar mee...' Ze pakte Fred bij zijn elleboog en baande zich een weg door de menigte.

'Vertel eens,' fluisterde Mathilde tegen Fred, 'ik hoop dat je me niet opdringerig vindt, maar... heb je een vriendin? Heb je iets met een van de serveersters?' Ze wierp een blik op Charlie, Selina en Grace, die bezig waren met het uitserveren van delicate canapeetjes, onderwijl ontstemde blikken in zijn richting werpend, omdat ze hem alledrie zelf wilden versieren.

'Welnee,' zei Fred. 'Ik had wel een soort van vriendin, maar dat stelde niet echt iets voor, en trouwens... ze is de hele zomer weg met haar vervelende familie.'

'Hoe durft ze jou ook maar een seconde alleen te laten?' informeerde Mathilde, die inmiddels was veranderd in een exotische godin met niets anders aan dan hoge hakken en een bikini van vijgenbladeren.

'Ze is nogal nonchalant op dat gebied,' antwoordde Fred, waarna ze in soft focus zoenend achter een palm verdwenen. Alle gasten wierpen discrete blikken in hun richting en mompelden: 'Kijk nou toch wat enig. Mathilde krijgt iets moois met die leuke ober. De schat kan wel wat troost gebruiken na dat vreselijk ongeluk van Don tijdens het wildwaterkanoën.'

In werkelijkheid stond Jess in de Lawrence of Arabia-boekenkiosk vol boeken over de held. Op alle omslagen stond zijn afbeelding. Hij was knap en blond met een smal gezicht, maar hij had ook iets merkwaardig gekwelds over zich. Niet het soort man dat vriendelijk zou lachen voor een foto.

'Geloof me of niet,' zei oma, 'maar hij lijkt sprekend op je vader, lieverd.'

Jess bekeek de foto's aandachtig.

'Ja, hij heeft inderdaad wel iets van papa,' zei ze nadenkend.

Lawrence of Arabia had hetzelfde sluike haar, dat aan twee kanten van zijn voorhoofd naar beneden hing.

'Papa is een stuk langer dan Lawrence was,' zei Jess' moeder. Het klonk alsof dat een fout van Jess' vader was. Als hij ook maar enige tact had gehad, was hij gestopt met groeien en aantrekkelijk klein gebleven.

'Wanneer gaan we naar papa?' vroeg Jess. 'Ik verheug me er zo op hem weer te zien!' En net nu Jess een kort moment tijdens deze historische tocht door iets geboeid was geraakt, voelde ze de mobiel in haar zak trillen. Een sms van Fred!

'Begin volgende week,' zei haar moeder. 'Dan zijn we in St. Ives.'

'Fijn. Gaaf! Nou, ik ga even een luchtje scheppen,' zei Jess, vol ongeduld om alleen te zijn met haar mobiel. Ze beende naar buiten en griste haar mobiel te voorschijn. Ze had er zo naar verlangd iets van hem te horen, maar ze had hem niet de hele tijd willen sms-en, bang om sneu en afhankelijk over te komen.

DRAMA, stond er, HEB EEN SCHAAL KARAMELPUDDING IN BA-BETTES DECOLLETÉ OMGEKEERD.

Nee hè! Dit was erger dan Jess' ergste fantasie. Ze wist niet wie Babette was, maar of het nou een van de Sugababes-serveersters was of een verleidelijke bruiloftsgast als Mathilde, Fred was al op zulke goede voet met haar decolleté, dat liefde en een huwelijk niet lang op zich zouden laten wachten.

Jess beantwoordde Freds sms niet direct, zoals meestal. Ze was te zeer geschrokken. Ze vertrouwde zichzelf niet. Ze was bang dat ze iets heel ergs zou zeggen. Maar aan de andere kant wilde ze juist iets heel ergs zeggen!

In plaats daarvan deed ze een schietgebedje. Soms worden de dingen zo ingewikkeld dat je hoopt dat ergens daarboven een vriendelijke oude heer zit, met een lange witte baard en twinkelende, vriendelijke ogen, zoals Gandalf.

Lieve God, dacht Jess hartstochtelijk, ik weet wel dat u decolletés maar niets vindt, en het spijt me dat ik op zeker moment heb geprobeerd die van mij te verbeteren met behulp van mi-nestronesoep. Vergeef me, God. Zullen we er gewoon – het is maar een voorstel – een anti-decolletéweekje van maken? U zou ermee kunnen beginnen die van Babette vannacht te ver-vangen door een kale, platte vlakte, bedekt met een rossige vacht.

# 13

Na het bezoek aan Clouds Hill reden ze door naar Dorchester. Jess' moeder had kamers in een kleine bed & breakfast gereserveerd. Zij en oma hadden een kamer aan de voorkant, Jess kreeg een klein kamertje aan de achterkant met een prachtig uitzicht op een blinde muur, wat wel bij haar stemming paste.

Haar moeder zette een kopje thee op haar kamer terwijl Jess op oma's bed zat. Er was een spelletje op tv, maar Jess keek maar met een half oog. In gedachten formuleerde ze meedogenloze sms'jes aan Fred, zo vilein, dat ze ze nooit zou durven verzenden.

NEEM JIJ MAAR LEKKER EEN DUIK IN HAAR DECOLLETÉ. LAAT JE DOOR MIJ NIET WEERHOUDEN... IK KAN WEL ZEGGEN DAT BABETTE OP SLET RIJMT, MAAR MISSCHIEN KAN IK MAAR BETER GEWOON AFSCHEID NEMEN...

HEB JE HET OPGELIKT? DAT WILDE JE VAST DOLGRAAG... IS BABETTE MOOIER DAN IK? NOU, DAT GELDT VOOR 90% VAN DE VROUWELIJKE BEVOLKING. TOE MAAR, HOOR, FRED PARSONS. WAAROM NIET? IK BEN TENSLOTTE AL TWEE HELE DAGEN WEG.

Toen ze hun tassen hadden uitgepakt, hadden ze nog een uur tot het avondeten.

'Ik ga een ommetje door de stad maken,' zei Jess. Ze was zo gestresst dat ze het in haar kamer niet uithield.

Nog geen drie minuten later had ze al een filiaal van de Body

Shop gevonden. Ze ging naar binnen, greep een paar testers en besproeide zichzelf met kokosnoot-, vanille- en meloengeuren... Nooit had iemand meer behoefte gehad aan aromatherapie.

Maar waarom draaide de cosmetica van de Body Shop toch zo nadrukkelijk om voedsel? Bij voedsel moest je natuurlijk meteen aan catering denken, en catering betekende Fred als ober en sexy, met heerlijke pudding ingesmeerde meisjes. Meloen, vanille, kokosnoot... Jess vroeg zich af of ze ooit nog van toetjes zou kunnen genieten nu die onderdeel van Freds liefdesleven waren geworden.

'Gaat het?' vroeg het meisje van de winkel. Nee, dacht Jess, mijn hart is gebroken. Maar ze glimlachte beleefd en antwoordde: 'Ja hoor.'

Vervolgens bekeek ze ongeveer duizend lipglosjes om ten slotte de eerste te kiezen die ze had geprobeerd. Zou ze met deze lipgloss Freds wankelmoedige hart terugwinnen? Jess staarde zichzelf mismoedig aan in een spiegel. Geen wonder dat Fred haar niet langer dan een nanoseconde trouw kon blijven: met haar bolle wangen en kleine oogjes had ze nog het meest van een verwarde hamster.

Ze betaalde de lipgloss en liep naar buiten. Een paar meter verderop vond ze een kantoorboekhandel. Yessss! Ze zou wat stijlvol, verleidelijk briefpapier kopen en Fred bedelven onder grappige, sprankelende en gepassioneerde brieven. Dat was misschien niet zo betoverend als het met pudding bedekte decolleté van Babette, maar het was haar enige hoop.

Ze kocht ook ansichtkaarten. Een paar van Marilyn Monroe en Humphrey Bogart voor haar vader, die dol was op filmsterren van vroeger. En wat saaie oude kerkjes voor Fred. Ze was niet van plan hem een afbeelding van de goddelijke Marilyn te sturen, want daarbij vergeleken werden haar eigen, nogal bescheiden, fysieke kwaliteiten des te teleurstellender.

Met vreselijk charismatisch, zachtgroen briefpapier, racete ze terug naar de bed & breakfast en begon te schrijven. Eerst een kaart naar haar vader, waarin ze haar moeders bespottelijke liefde voor Lawrence of Arabia beschreef. Daarna zond ze haar vader een sms. PAP, IK HEB JE NET EEN KAART GESCHREVEN. HOOP DAT JE ONDER DE INDRUK BENT. IK STUUR JE DEZE SMS VOOR HET GEVAL IK ER NIET TOE KOM HEM TE POSTEN. IK MOET IETS WETEN. HOE BELANGRIJK IS EEN DECOLLETÉ? ALS EEN MAN TWEE JOEKELS ONDER OGEN KRIJGT, KAN HIJ DAN ZIJN BLIK AFWENDEN EN WENSEN DAT HIJ BIJ ZIJN PLATTE VRIENDIN WAS? LIEFS, JESS.

Zo, dat was haar vader. Nu was het tijd voor de brief aan Fred. Ze zou niet over Babette beginnen. Ze zou de hele situatie gewoon negeren.

Lieve Fred,

Vandaag zijn we in de cottage van Lawrence of Arabia geweest. Vreselijk sfeervol. Naar de foto's te oordelen, lijkt hij nogal op mijn vader. Kan niet wachten om mijn vader weer te zien. Ik wilde dat je hem kon ontmoeten, al is hij nogal kinderlijk. Ik heb je al verteld hoe vreemd en mysterieus hij is, maar uiteindelijk moet je iemand toch persoonlijk ontmoeten. Hij is in elk geval een stuk onderhoudender dan mijn moeder. Haar obsessie met geschiedenis is een kwelling.

Morgen gaan we naar de plek waar koning Arthur moedig stand heeft gehouden tegen de woestijnratten, en dan naar een fascinerende kapel waar Sint Horatius in 1238 een visioen kreeg van een gevleugelde varkenspastei, een teken dat de hongersnood spoedig ten einde zou zijn. Over voedsel gesproken: het is bijna etenstijd. Gezien de omvang van mijn heupen zou ik me moeten beperken tot een blaadje sla. Maar mezelf kennende zal ik wel bezwijken voor de verleiding van een complete koe.

Ze had haar best gedaan om een levendige, luchthartige brief te schrijven, maar zat nog steeds diep in de put. Ze had al duizenden manieren bedacht om Fred te vermoorden. Of om de Sugababes-light om het leven te brengen door hen in hete thee te smijten en wreedaardig te roeren met een enorme lepel.

Jess ging naar buiten, kocht postzegels en deed de brief voor Fred en de kaart voor haar vader op de post. Daarna ging ze terug naar de B & B en keek tot het etenstijd was naar de Simpsons.

Ze aten in een Italiaans restaurant. Jess verorberde verbeten haar pasta. Ze had Freds sms over het decolleté van Babette nog steeds niet beantwoord en hoopte dat hij smartelijk zat te wachten. Maar het was best mogelijk dat hij in Babettes ogen zat te staren en haar bedolf onder zijn enige grappen en scherpzinnige complimentjes. Als dat zo was, zou ze nooit meer met hem praten.

'Ah!' zou ze hooghartig sneren als ze elkaar uiteindelijk weer eens tegen zouden komen. 'Dus je bent weer terug? Heeft de heerlijke Babette je gedumpt? Of ben je haar prachtige, met pudding bevlekte decolleté moe?'

'Vergeef me!' zou Fred snikken terwijl hij zich op de grond wierp... nee, wacht, het moest in het openbaar. In het park. Ja, in de muziektent. Met een grote menigte ervoor. 'Ik houd alleen van jou! Babette heeft me gedwongen die pudding te gooien, ik heb er nooit iets aan gevonden! En ik heb haar nooit aangeraakt, alleen met vochtige tissues!'

'Kruip door het stof, jij trouweloze adder!' zou Jess hem toe-
bijten. 'Nimmer zal ik nog het woord tot je richten, in geen
honderd jaar.' Ze zou een beetje klinken als de bijbel en dat beviel
haar wel. Dan zou ze zich met een ruk omdraaien en wegschrij-
den, Fred vernederd achterlatend.

'En dan nog iets!' Ze keerde zich om. 'Stof zul je eten, Fred
Parsons! Hoe je me ook zult smeken, nimmer zal ik je meer
een blik waardig keuren!'

Er stond schuim in Freds mondhoeken, als bij een hond die
iets giftigs heeft gegeten, terwijl hij uit het stof trachtte op te
krabbelen. Jess zou hem nog een laatste, ijzige en vernietigen-
de blik toewerpen, haar mondhoeken in minachting naar beneden trekken en hem de rug toedraaien. Uit de miljoenen toeschouwers – deze scène ging via de satelliet de hele wereld
over – klonk een kreet van medelijden en ontzetting op.

En toen ging haar telefoon.

'Wat is dat, lieverd?' vroeg oma geschrokken. 'Is dat zo'n
e-mail?'

'Een sms, oma,' zei Jess terwijl ze naar haar mobiel graaide.
'Van Flora denk ik.'

'Je moet je mobiel uitzetten als je in een restaurant zit,' zei
haar moeder die geen gelegenheid voorbij liet gaan om ergens
over te zeuren.

'Ja ja, zo meteen,' zei Jess die probeerde er rustig en onaan-
gedaan uit te zien terwijl Freds bericht op het schermpje verscheen.

WAT IS ER IN 'S HEMELSNAAM AAN DE HAND? WAAROM HOOR
IK NIETS? ZIT JE TE FLIRTEN MET HANK, DE HERSENLOZE
STRANDWACHT?

Haastig schreef Jess een, zo hoopte ze, vernietigend antwoord.

HOE IS HET MET BABETTES DECOLLETÉ VANAVOND? NOG STEEDS EVEN FASCINEREND?

Ze drukte hard en bozig op 'verzenden'. Hoe durfde hij jaloers te zijn, terwijl ze drie volle dagen niets anders had gedaan dan aan hem denken? En intussen liep hij met andere meisjes te dollen en in hun decolleté te loeren, de schoft!

'En nou zet je dat ellendige ding uit, Jess,' zei haar moeder die geïrriteerd begon te raken.

'Ja, ja, mam, rustig maar. Ik doe hem al uit,' zei Jess.

Terwijl ze het zei, kwam er een bericht terug.

BABETTE IS VIJFTIG EN MIJN BAAS, DOMBO. HAAR DECOLLETÉ IS ONGEVEER EVEN AANTREKKELIJK ALS EEN KLOOF OP ANTARCTICA.

Een enorme opluchting nam bezit van Jess. Lieve, schattige Fred! Wat was ze toch stom. Ze had haar hele dag bedorven met haar ongegronde jaloezie. Hoe kon ze op een elegante en tegelijk onweerstaanbare manier haar excuses aanbieden?

Terwijl ze haar hersens pijnigde, kwam er een nieuw bericht binnen. Gretig tuurde Jess naar het kleine schermpje. Wat stuurde die aanbiddelijke Fred haar nu toch weer voor bericht? Een verklaring van zijn eeuwige liefde? O nee! Het werd Jess koud om het hart:

MAAK JE LIEVER ZORGEN OM ROSIE...

## 14

Terug in de bed & breakfast was Jess eindelijk alleen. Maar o, gruwel! Haar beltegoed was op. Nu kon ze Fred geen sms sturen om hem op zijn kop te geven over die Rosie-grap. Als het een grap was. Wat een ellende toch, om zo ver van elkaar te zijn.

Jess lag de hele nacht te woelen. Ze kon bijna niet slapen en toen het eindelijk lukte, misdroeg Fred zich in haar dromen met complete dameshockeyteams.

Pas tegen het ochtendgloren viel Jess in een diepe slaap. En toen klopte haar moeder alweer op de deur en moest ze zich uit bed hijsen omdat het ontbijt klaarstond, terwijl het nog midden in de nacht leek.

Jess sleepte zich naar de ontbijtzaal als een zombie in een oude zwartwitfilm. Zelf was ze ook nogal zwart-wit: er hing een zwarte wolk in haar hoofd en haar gezicht was spookachtig bleek. Ze had vroeg op willen staan om snel een telefoonkaart te halen, maar daarin had ze natuurlijk weer jammerlijk gefaald.

'Jess,' zei oma, 'je ziet er vreselijk uit! Wat is er aan de hand?'

'Kon niet slapen,' zei Jess terwijl ze ging zitten.

'Nou, weet je wat,' zei oma, 'neem maar lekker wat eieren met spek. Dan voel je je zo weer beter.' Oma kneep in haar hand en streelde haar haar. Dat was lief, maar ook een beetje irritant. Jess weigerde de eieren met spek. Voor het eerst deze vakantie had ze geen honger. Ze wist zeker dat alles naar zand en stof zou smaken.

Over zand en stof gesproken, gelukkig had oma de as van opa dit keer boven laten staan. Een mens zit niet te wachten op de overblijfselen van zijn grootvader als tafeldecoratie.

'Alleen wat toast vandaag,' zei Jess droevig.

'Welnu,' zei haar moeder met een lachje waarvan Jess wist dat het iets met geschiedenis te maken had. Het hart zou haar in de schoenen zijn gezonken als het niet al ergens op de bodem van de oceaan had gelegen. 'Vandaag wordt het hoogtepunt van onze tocht,' ging haar moeder door. 'We gaan naar iemands graf.'

Hoera, dacht Jess. Gaaf, een graf. Dat is pas echt boeiend. Heerlijk, ik had het kunnen weten.

'Een graf?' vroeg oma die zichtbaar opleefde. 'Van wie dan?'

'Van Thomas Hardy,' zei Jess' moeder met een triomfantelijke blik. 'En Jess, weet jij iets van hem?'

Jess zweeg. Al had ze alles over Thomas Hardy geweten, dan had ze nog haar mond gehouden. Al had ze op zijn kinderen gepast, zijn brood gegeten en zijn persoonlijke post gelezen.

'Geen idee,' zei ze schor. 'Mag ik de jam even, oma? Heeft iemand een aspirientje?' Misschien zou haar moeder ophouden over geschiedenis als ze dacht dat Jess ziek was. Leuk geprobeerd.

'Thomas Hardy heeft romans geschreven die hier in Dorset spelen,' zei haar moeder met belachelijk enthousiasme, alsof ze zojuist een winnend loterijlot had gevonden.

'Hij had een nogal tragisch leven,' ging ze door. Verrassend zeg, dacht Jess. Iedereen die we op deze reis zijn tegengekomen heeft een tragisch leven geleid. Het zag ernaar uit dat haar eigen leven daarop geen uitzondering zou zijn.

'Hij trouwde met ene Emma, maar had het zo druk dat hij geen aandacht aan haar besteedde. Toen ze onverwacht stierf, brak zijn hart van verdriet. Hij voelde zich vreselijk schuldig dat hij haar niet voldoende gewaardeerd had en schreef na haar dood een groot aantal liefdesgedichten.'

Dat vond Jess een fascinerend idee. Ze nam zich voor direct te overlijden zodat Fred, verteerd door schuldgevoel, haar graf dagelijks zou bezoeken met een nieuw sonnet. Natuurlijk zou hij zijn uiterlijk nog meer dan normaal verwaarlozen. Er zouden paddestoelen uit zijn oren groeien. Geen meisje zou hem ooit nog een blik waardig keuren. En hij zou op zijn beurt natuurlijk naar geen meisje meer omkijken. Hij zou zijn blik zelfs van MTV afwenden.

'Maar goed,' zei Jess' moeder, 'toen hij overleed, zette hij in zijn testament dat zijn hart bij zijn eerste vrouw begraven moest worden.'

'Smerig!' riep Jess uit.

'Wat hebben ze met de rest gedaan?' vroeg oma.

'De rest van zijn lichaam ligt begraven in Westminster Abbey. In de dichtershoek.'

'Bizar,' zei Jess.

'Zei je nou zijn eerste vrouw?' vroeg oma, met de scherpzinnigheid van Miss Marple.

'Ja zeker. Hij is later hertrouwd.'

'Hè? Hij is opnieuw getrouwd, maar wilde dat zijn hart bij zijn eerste vrouw werd begraven?' vroeg Jess.

'Ja, precies.'

'Vreemd,' zei Jess. Welke tweede vrouw zou dat nou goed vinden? Als Fred haar ooit zou zeggen dat zijn hart bij een eerdere vriendin begraven moest worden, zou Jess het persoonlijk opeten met barbecuesaus en frietjes.

'Kijk nou toch,' zei oma. 'De zon komt door! Het wordt weer een heerlijke dag!'

Oma begreep er werkelijk helemaal niets van.

# 15

'Het is niet ver naar het graf van Thomas Hardy,' riep Jess'
moeder enthousiast terwijl ze iets te overmoedig achterwaarts
de parkeerplaats af reed. Alsof dat Jess iets kon schelen. Wat
haar betreft mocht het graf van Thomas Hardy aan het eind
van het heelal liggen. Ze zou niet met haar ogen geknipperd
hebben.

Ze had haar moeder gesmeekt om even naar een winkel te
mogen rennen voor een telefoonkaart, maar haar moeder had
erop gestaan dat ze vroeg zouden vertrekken. Jess was toch al
veel te veel tijd kwijt aan dat ellendige ding.

'Rustig, Madeleine!' zei oma. 'Je reed bijna tegen die muur
aan!'

'Niet zeuren, mam,' zei Jess' moeder. 'Er is niemand die zo
veilig rijdt als ik, dus bemoei je er niet mee.'

Hé! Misschien vonden haar moeder en oma het niet leuk om
een kamer te moeten delen. Misschien hadden ze een fikse ruzie gehad. Misschien had haar moeder zitten mokken op de
badkamer en met zeep 'mama is stom' op de spiegel geschreven. Haar moeder noemde oma nog steeds af en toe 'mam'.
Jess vond het een beetje gek om zich haar moeder voor te stellen als een mokkende tiener. Aan de andere kant: ook oma
moest ooit een mokkende tiener zijn geweest.

Jess glimlachte bij de gedachte. Het voelde raar aan en ze realiseerde zich dat ze al dagen niet had gelachen of geglimlacht.

'Een paar kilometer maar en dan zijn we bij de begraafplaats,' zei haar moeder.

Jess vond het bij nader inzien jammer dat het niet ver was. Ze had best de hele dag onderuitgezakt op de achterbank willen liggen, lusteloos kijkend naar het platteland waar ze in reden – bij voorkeur platteland met vreselijke ravijnen, rotsen, raven en door de bliksem getroffen dennenbomen.

Helaas kwam zo'n omgeving niet veel voor in het zuidwesten van Engeland en dus moest ze genoegen nemen met zonnige weilanden, schattige heuveltjes en af en toe een glimp van de zee vol schitterlichtjes.

Jess wilde naar de kust. Haar moeder had gezegd dat ze een aantal dagen aan zee zouden blijven wanneer ze in Cornwall waren. Jess had zich voorgenomen om, zodra ze ook maar in de buurt van een strand kwamen, neer te zijgen en naar de golven te staren. Ze hoopte wel dat het strand verlaten zou zijn. Haar tragische wanhoop te moeten delen met hordes schreeuwende en met ijs besmeurde kinderen, was een afschuwelijk idee.

Die gedachte leidde vreemd genoeg naar Fred. Ironisch toch dat ze de liefste mens op aarde had moeten achterlaten. Met hem erbij was het bezoek aan dat hart van Thomas Hardy vast een hilarisch uitje geworden. Het zou boven aan een lijst met bizarre toeristische attracties hebben geprijkt en Fred zou honderd nóg raardere dingen hebben bedacht die je na de dood met je lichaam kon doen. De hele wereld was verpest en zinloos nu ze niet bij hem was.

'We zijn er!' riep haar moeder opgetogen terwijl ze langs een beschaduwde laan naar een klein, achter bomen verscholen kerkje reden. Dit was de laatste plek op aarde waar je een telefoonkaart zou kunnen kopen.

'Zo meteen zien we zijn graf!' zei haar moeder met luguber enthousiasme.

Nou gaaf, dacht Jess.

'Zijn as is begraven in Westminster Abbey,' las oma voor uit de reisgids. 'Dan hebben ze zijn hart er zeker uit gehaald voordat hij werd gecremeerd. Wie doet er nou zoiets?' Oma had een welhaast onbeschaamde interesse voor dit soort dingen. Even was Jess bang dat ze de urn uit de kofferbak zou halen om de as van opa een kijkje te gunnen bij het hart van Thomas Hardy.

Gelukkig zag ze daarvan af, zodat alleen de levende leden van het gezelschap door het hekje het kleine kerkhof op liepen. Jess zag het graf onmiddellijk, links van het pad. 'Thomas Hardy', stond erop.

'Hier is het!' zei ze. Ze wilde dit zo snel mogelijk afhandelen om weer te kunnen dagdromen op de achterbank van de auto.

'Nee, lieverd, dat kan niet,' zei haar moeder.

'Maar er staat toch "Thomas Hardy"?'

'Dat is hem niet. De jaartallen kloppen niet. Dit is een andere Thomas Hardy. Zijn vader, denk ik, of zijn grootvader. Even rekenen...' Er lagen verschillende graven op een rij en overal stond Thomas Hardy op.

Jess was wanhopig. Ze had niet eens de goede Thomas Hardy kunnen vinden. Waarom waren er dan ook zoveel van? Het leek wel een epidemie. Tamelijk fantasieloos van zijn ouders om hem Thomas te noemen, terwijl er al zo veel Thomas Hardy's in de familie voorkwamen. Waarom hadden ze hem niet Leonardo of Olivier genoemd? Of Dave?

'Dit is 'm!' zei oma. 'Hier staat dat zijn hart hier begraven ligt. In het graf van zijn eerste vrouw, Emma Lavinia Gifford.'

'Ik heb hier een gedicht dat hij ter nagedachtenis aan Emma

heeft geschreven,' zei Jess' moeder, die een boek uit haar zak haalde en het opende op een pagina die met een buskaartje gemarkeerd was. Ze begon te lezen met een rare, hijgende, omfloerste stem.

'Hier sta ik in de regen,
Die neerslaat op haar steen
En het gras...'

'Mam, houd alsjeblieft op!' zei Jess. 'Niet in het openbaar gedichten lezen, dat is gênant!'

'Doe niet zo raar, Jess,' zei haar moeder. 'Er is hier toch niemand.' En ze las verder. Jess schudde ongelovig haar hoofd en wisselde een blik met oma. Oma boog zich naar Jess over en fluisterde: 'Laat haar maar, lieverd. Ze is altijd al een onverbeterlijke romantica geweest.'

Het idee dat haar moeder een onverbeterlijke romantica was, was even bizar als het idee dat haar oma een tenniskampioen zou zijn. Jess keek omhoog naar de bomen en luisterde opzettelijk niet naar het gedicht. Ze wenste dat ze een vogel was.

En als ik een vogel was, dacht ze, zou ik rechtstreeks naar huis vliegen. Daar zou Fred dan zijn. Als hij bij Rosie was, zou ik natuurlijk op haar hoofd poepen en dan zou ze wegvluchten. En dan zou ik op Freds schouder blijven zitten en in zijn binnenzak broeden en nooit meer bij hem weggaan. Dat was op de een of andere manier een troostrijke fantasie.

Nadat ze de kerk van binnen hadden bekeken, liepen ze terug naar de auto. De dagelijkse, onverteerbare portie geschiedenisles was gelukkig weer binnen. Jess schreef een Humphrey Bogart-kaart naar Flora.

Lieve Flo, wat een vreselijke vakantie. Mama sleept me mee over onafzienbare kerkhoven terwijl ze op een raar toontje afschuwelijke gedichten voorleest. En Fred schijnt verliefd te worden op ene Rosie. Hoop dat jij plezier hebt – dan heeft er tenminste iemand lol. Liefs, Jess.

Misschien moest ze nog een kaart aan haar vader sturen.

Hoi pap! Thomas Hardy is in stukken gesneden en op twee verschillende plekken begraven, ziek, hè? Weet jij al waar je begraven wilt worden? Nee, ga maar niet dood – ik vermoord je als je dat doet! Dit uitje is zo deprimerend dat alleen een schattige pup me nog kan opvrolijken. Zorg daarvoor! Liefs, Jess.

Nadat ze postzegels op de kaarten had geplakt, keerde ze terug naar de fantasie waarin zij als kanarie op Freds schouder zat. En daar bleef ze zitten terwijl haar moeder eindeloos doorreed, Dorset uit en Devon in.

'Je zult zien,' zei haar moeder, 'dat de landweggetjes in Devon heel diep liggen. En de aarde heeft er een prachtige kleur rood.' Wat een optimist. Jess leefde in een droomwereld en het zou haar zelfs niet opgevallen zijn als Devon door draken bevolkt was geweest en de grond had bestaan uit chocoladecake.

# 16

Uiteindelijk kwamen ze in het dorp waar Jess' moeder de nacht wilde doorbrengen: Totnes. Dat vrolijkte Jess wat op. Totnes maakte de indruk van een leuk, gezellig dorp waar op elke straathoek beltegoed te koop was. Wat had een mens nog meer nodig?

'Hier heb ik nou altijd al naartoe gewild,' zei Jess' moeder, terwijl ze onconventioneel inparkeerde, net iets te dicht op een camper. Dat zei ze altijd, misschien had ze niet het juiste studieadvies gekregen en reisleidster moeten worden in plaats van bibliothecaresse.

Hoewel, die droegen altijd van die deprimerende uniformpjes. Jess kon zich haar moeder niet voorstellen in een hemelsblauw polyester mantelpakje, een fris bloesje en een belachelijk sjaaltje. De kleren van haar moeder vormden een klasse apart.

Vandaag droeg ze een wijde, zwarte broek met een sterrenmotiefje – en eerlijk gezegd ook wat theevlekken – met daarop een Bob Marley-t-shirt en een Peruaans vest vol inheemse poppetjes die bezig waren met iets dat op mensenoffers leek.

Verrassend genoeg zag iedereen er in Totnes ook zo uit. Dit was echt een dorp voor haar moeder. Ze gingen eerst op zoek naar een café voor oma, die snakte naar een kopje thee.

Het heette De Dikke Citroen. Een merkwaardige naam voor

een café, maar Jess had de indruk dat dat typisch was voor Totnes. Ze waren nog maar in één straat geweest, maar nu al waren ze drie oude hippies met baarden tegengekomen en twee oudere vrouwen met zigeunerachtige rokken en hoofddoekjes met glitters en franje.

'Ze hebben hier meer dan zeventig soorten thee!' riep oma uit terwijl ze de kaart bekeek. Zeventig! Dat was een tikkeltje overdreven.

'Wat een poëtische namen!' zei Jess' moeder. 'Keizers Keuze, Russische Karavaan, Groene Bergtop...' O nee, ze zette haar poëzietoontje weer op.

Jess bestelde warme chocolademelk en een heerlijk vegetarisch kaasding. Al snel voelde ze zich wat beter. Die Dikke Citroen had wel wat. Leuke naam. De ouders van Thomas Hardy hadden hem Dikke Citroen Thomas moeten noemen, dan had hij jazztrompettist kunnen worden in plaats van een getormenteerde, tragische dichter.

'Gaat het weer een beetje, lieverd?' fluisterde oma.

'Ja hoor, dank je!' Jess kneep in oma's verweerde hand. Die voelde aan als een bosje twijgjes. Oma's ogen hadden soms de afwezige, omfloerste blik die alleen oudere mensen lijken te hebben. Alsof ze al een blik wierpen in een volgend leven, of zo.

Jess voelde tot haar schrik tranen opwellen achter haar oogleden. Die stomme premenstruele stress ook! Snel schakelde ze over op iets anders.

'Wat gaan we morgen bekijken, mam?' vroeg ze. Haar moeder keek verbijsterd. Dit was de eerste keer dat Jess blijk gaf van interesse in de reis.

'Ik wilde je Berry Pomeroy Castle laten zien,' antwoordde ze. 'Het schijnt dat daar de meeste geesten van het hele land rondwaren.' Op dat moment had er een plotselinge stilte moeten vallen in het café en had de zon verduisterd moeten worden door een wolk. Maar de klanten gingen gewoon door met het eten van hun vegetarische lekkernijen en hun gesprekken over kruiden en kristallen.

'Gaaf!' zei Jess. 'Ik ben dol op spookhuizen! Sterker nog, ik wil een geest worden als ik groot ben.'

'Maak je geen zorgen, lieverd,' fluisterde oma met een vrolijke knipoog, 'dat komt wel goed.'

Ze hadden gereserveerd in een aftands hotel in een nogal lawaaierig deel van het dorp. De kamer van Jess had een prachtig uitzicht op de levendige straat. Het was alsof je naar een film zat te kijken. Maar niemand in Totnes leek ook maar in de verste verte op Fred.

Ze had nu de kans om een telefoonkaart te kopen, maar ze besloot Fred even snel een briefje te schrijven zodat dat nog mee kon met de lichting van vandaag.

Lieve Fred, we zijn inmiddels in Totnes, hippiehoofdstad van het zuidwesten. Je kunt hier handgemaakte schoenen kopen van gerecyclede wc-rollen. Mijn oma was helemaal enthousiast over een café waar ze zeventig verschillende soorten thee schonken. Ze bestelde uiteindelijk dezelfde saaie thee als altijd. Mijn moeder besloot eens gek te doen en nam heel avontuurlijk een merkwaardig brouwsel dat in een verre uithoek van Sjiekbekistan wordt getrokken uit kamelenuitwerpselen. Het viel een beetje tegen. Het tragische leven van mijn moeder, samengevat in één theepauze.

Daarvoor hebben we het graf bezocht van een tragische man genaamd Tom, die tragische boeken schreef over tragische mensen. Een waar hoogtepunt. Hij had zelf trouwens ook een nogal tragisch leven. Hij realiseerde zich pas dat hij van zijn vrouw hield toen ze overleden was. Daarom bepaalde hij dat na zijn dood zijn hart uit zijn lichaam gesneden moest worden en bij haar begraven. Ik weet niet of dat nou onverdraaglijk ontroerend of ontzettend smerig is, maar ik eis van jou hetzelfde, anders heb je een probleem.

Maar goed, zo ben ik op het idee gekomen om mijn testament te schrijven. Als ik als eerste kom te overlijden, wil ik worden opgezet. Jij moet mijn levenloze lichaam dan elke zaterdag mee uit nemen naar een nachtclub. Zoiets bescheidens heb je wel voor me over, toch? En zorg er vooral voor dat mijn wenkbrauwen goed geëpileerd zijn. Model: ergens tussen een geestige, New Yorkse journaliste en een gestoorde, in Parijs op een zolderkamertje wonende Egyptische prinses in.

Ik hoop dat je hard werkt en je blik afgewend weet te houden van Babettes rimpelige decolleté. Maar als dat mens van Rosie mijn plaats in jouw hart inneemt, kun je er zeker van zijn dat ik het hierboven genoemde orgaan er na je dood persoonlijk zal komen uitsnijden. Trouwens, waarom zou ik dan wachten tot je dood bent? Ik snijd het er wel uit als je nog leeft, vul het met kippenlevertjes en gooi het voor de dichtstbijzijnde wolven.

Ik ben nu helemaal in de stemming. Ik zal niet rusten voordat jullie allebei verwerkt zijn tot vleeswaar. Liefs, Jess.

# 17

Jess stak de brief voor Fred in een envelop, likte hem dicht en drukte er een hartstochtelijke kus op. Helaas liet de lipgloss van de Body Shop een verraderlijke veeg achter. Jess nam de envelop mee naar de badkamer en probeerde de lipgloss eraf te vegen, maar het werd alleen maar erger.

Uiteindelijk besloot ze slim te zijn en de envelop helemaal met kussen te overdekken. Nu leek het net of hij in de sorteer-kamer op de grond was gevallen en er een postbode op was gaan staan wiens wijk een door incontinente ezels bewoond moerasgebied was.

Dat was geregeld. Nu nog even naar de brievenbus. Ze pakte haar cd-man en haar mobiel en verliet haar kamer. Ze liep door de ongelooflijk steile hoofdstraat tot ze een brievenbus vond en aarzelde even. De volgende vingers die de brief zouden aanra-ken waren die van Fred. Haar vingers tintelden op een eroti-sche manier terwijl ze de brief losliet.

Even later realiseerde ze zich dat de volgende die de envelop zou aanraken waarschijnlijk een dikke vrouw in de sorteerka-mer was. De realiteit is altijd minder romantisch dan je zou willen.

Toen kocht ze een telefoonkaart. Eindelijk zou de communi-catie tussen haar en haar geliefde weer op gang komen – al haar geliefden, eigenlijk. Ze hield tenslotte ook vreselijk veel van haar vader en Flora was haar allerbeste vriendin. Maar ze begon met een sms voor Fred.

AFSCHUWELIJKE VAKANTIE. VOOR JOU VAST OOK EEN KWEL-LING. HEB NET EEN BRIEF AAN JE GEPOST. Maar toen ze probeerde het bericht te versturen, kreeg ze een foutmelding. Ze had hier geen bereik.

Even kwam ze in de verleiding om Fred vanuit een telefooncel te bellen, maar ze had maar twintig pence bij zich, nauwelijks genoeg om even te hoesten. En trouwens, hij was nu toch aan het werk; hij werkte elke avond. Zijn mobiel stond nu dus uit. En als hij wel opnam, was hij misschien wel bij Rosie.

Stel je voor dat hij beleefd en afstandelijk zou doen. Of, erger nog, als hij zei dat hij nu niet kon praten en zou ophangen. En dat er dan meisjes op de achtergrond spottend zouden lachen. Dat zou erger zijn dan hem helemaal niet spreken.

Ze aten in het hotel omdat oma moe was en niet de heuvel op wilde klimmen naar een restaurant. Jess bestelde kip, hoewel ze helemaal geen eetlust had.

Haar moeder bleef maar praten over haar wekker die ze niet meer aan de praat kreeg. Gelukkig maar, want zo hoefde Jess niets te zeggen. Bovendien was ze blij dat haar moeder niets raars of triests over mannen zei. Ze had zelfs een poging gedaan om er behoorlijk uit te zien in een zwartzijden blouse en een wijde, zwarte broek.

'Je ziet er vanavond echt leuk uit, mam,' zei Jess nadrukkelijk. Haar moeder keek verbaasd en een beetje geschrokken. 'Zwart staat je goed. Je zou alleen zilveren oorbellen in moeten doen.'

Jess' moeder droeg inderdaad nadrukkelijk geen zilver. Wel houten oorbellen in de vorm van palmbomen. Een vreselijke stijlbreuk, die in Totnes echter wel door de vingers zou worden gezien.

Vlak daarna had Jess alweer spijt dat ze het vertrouwen van haar moeder met ondoordachte complimentjes had opgeschroefd. Er kwam een bezwete ober aan.

'Wilt u de toetjeskaart nog zien?' vroeg hij. Jess' moeder keek naar hem op en – o, gruwel – gaf hem een vette knipoog.

'Er is niks mis met onze eigen toetjes,' grapte ze. 'Maar ik geef toe dat ik heimelijk verlang naar een stukje schuimtaart met passievrucht.' Ze sprak het woord 'passievrucht' uit met een diepe, hese stem, alsof het haar wel leuk leek als hij het dessert in bed kwam serveren, waar zij in een roze zijden negligé zou liggen te wachten.

Gelukkig, wist Jess, had haar moeder geen negligés, ze droeg altijd rugbyshirts in bed. Jess was niet van plan geweest een toetje te nemen, maar ze was zo geschokt door de afschuwelijke aanblik van haar flirtende moeder, dat alleen een flink stuk toffeetaart haar kon behoeden voor een zenuwinzinking.

'Nou, laten we maar lekker vroeg naar bed gaan, want morgen gaan we naar Berry Pomeroy Castle,' zei haar moeder na de koffie, 'de plek met de meeste geesten van heel Engeland.' Er liep een rilling over Jess' rug. Ze vroeg zich af voor enge dingen haar te wachten stonden. Ze kon niet weten dat ze in het spookslot iets zou horen waarvan haar haren recht overeind zouden gaan staan.

# 18

De volgende ochtend werd Jess wakker van het geluid van regen. Uitstekend weer voor een bezoekje aan een spookslot. Het
eerste wat ze deed was haar mobiel pakken en om het hotel
lopen tot ze een plek vond waar ze bereik had. 's Nachts was er
een sms binnengekomen. Twee zelfs! Die lieve Fred. Een sms
van hem was de beste manier om de dag te beginnen. O,
wacht, ze waren geen van beide van Fred. De ene was van haar
vader, de andere van Flora.

DECOLLETÉS ZIJN NIET MIJN STERKSTE PUNT, luidde de sms
van haar vader, WAAR HET OM DRAAIT IS INNERLIJKE SCHOON-
HEID EN OF JE VOETEN NAAR TENENKAAS RUIKEN. WAT BETREFT
DE PUP: REKEN NERGENS OP. MISSCHIEN MOET JE HET DOEN
MET EEN SCHATTIG, DONZIG HAARDKLEEDJE.

Jess zuchtte. De tragische afwezigheid van een puppy was de
zoveelste teleurstelling in haar armoedige bestaantje. Dan de
sms van Flora maar. Flora bezat natuurlijk een fantastisch
hondje met de naam Lucky. Die was zo mogelijk nog blonder
dan Flora, maar zijn neus was zwarter en natter dan die van
haar.

HÉ STUK! REISJE OKÉ? luidde Flora's sms. GEEN TRANEN?
LUISTER! IK GA TOCH NAAR RIVERDENE! FREYA GAAT MEE OM 'OP
TE PASSEN'. MORGEN. GAAF TOCH? HOUD JE OP DE HOOGTE.
LFS, FLO.

Er ging een steek van jaloezie door Jess heen. Naar Riverdene met Flora en Freya, wat had ze dat graag gedaan. Nou ja, in elk geval was Flora veilig uit Freds buurt als ze naar Riverdene ging.

BOFKONT! VEEL PLEZIER!! antwoordde ze. IK ZIT IN EEN GRAUW HOTEL IN DE REGEN. HET DOUCHEGORDIJN STINKT NAAR ONGEWASSEN ZWERVERS EN MIJN MOEDER FLIRT OP EEN VRESELIJKE MANIER MET DE OBERS.

Gelukkig bediende er een serveerster bij het ontbijt. De Don Juan met het bezwete voorhoofd had zeker vrij. Haar moeder leek deze ochtend sowieso niet in zo'n flirterige stemming. Ze wilde vroeg op pad.

Terwijl ze de rekening betaalden veranderde het regenbuitje plotseling in noodweer. Langs de steile helling kwamen modderstromen naar beneden en in de heuvels rondom bliksemde en donderde het. Jess' moeder hield een paraplu boven oma's hoofd terwijl die in de auto klom. Jess sprong achterin en sloeg het portier dicht. Tegen de tijd dat Jess' moeder om de auto heen was gelopen naar de bestuurdersplaats, was haar haar doornat en zag ze eruit als een vogelverschrikker.

Jess was blij dat Fred geen getuige was van deze schrijnende aanblik.

'Hemeltje, wat een weer!' zei oma. 'Ik krijg het er koud van!' Achter in de auto lag een plaid, die Jess aan haar oma gaf. Die pakte hem opgetogen aan en legde hem over haar benen.

'Als het blijft regenen, stap ik straks misschien niet uit, Madeleine,' zei ze. 'Dan blijf ik wel in de auto, als je het goed vindt.'

'Prima,' zei Jess' moeder. 'Maar ik wil er wel graag heen, want ik heb het...'

'...altijd al willen zien!' schreeuwde Jess met haar moeders stem. Ze moesten alledrie lachen. Het was voor het eerst in tijden dat Jess ze aan het lachen had gemaakt.

'Ik heb vanmorgen trouwens een sms van Flora gekregen,' zei ze. 'Ze gaat toch naar Riverdene, met haar oudere zus.'

'Ja, dat is een heel ander verhaal,' zei haar moeder. 'Freya is zo'n verstandig meisje.'

Nou ja! Wat wist haar moeder daar nou van? Freya was een keer zo verliefd geweest op een jongen, dat ze naar een waarzegster was gegaan om een liefdesdrankje te kopen. Bovendien – en dat was zo geheim dat zelfs haar eigen vader het niet wist – had ze haar propedeuse gevierd met een tatoeage van een varken op hoge hakken op haar rug.

'Je mist Flora zeker wel, lieverd,' zei oma terwijl ze door de stortbuien reden, het dorp uit en de heuvels in.

'Ja, maar we houden contact via sms,' zei Jess slim. Tot nu toe had ze al Freds sms'jes kunnen laten doorgaan voor berichten van Flora.

Ze volgden de borden naar Berry Pomeroy en reden even later over een claustrofobisch smal weggetje door een bos. Dus dit was de spookachtigste plek in Engeland. Voor de eerste keer deze reis verheugde Jess zich op iets wat haar moeder haar wilde laten zien.

Aan het eind van de lange, door bomen omzoomde weg doemde een open plek op. Onder de druipende bomen was een parkeerplaats en niet ver daarvandaan rezen de ruïnes van een kasteel spookachtig, donker en rafelig op naar de hemel. Jess' moeder parkeerde de auto en zodra ze uitstapten hield de regen verontrustend plotseling op.

'Ik ga toch maar niet mee,' zei oma. 'Deze krant heb ik twee dagen geleden gekocht en ik heb hem nog steeds niet uit.'

'Goed hoor,' zei Jess' moeder. 'We zijn zo terug.'

Ze kocht twee kaartjes bij een man in een hokje, terwijl Jess omhoogkeek naar de oprijzende ruïnes. Uit de eeuwenoude stenen kringelden merkwaardige dampen op. De hele plek was omgeven door vreemde wolken. 'Berry Pomeroy Castle,' las haar moeder voor uit de gids, 'werd aan het einde van de vijftiende eeuw gebouwd als belangrijkste verblijfplaats van het geslacht Pomeroy... O, dat is een beetje saai... het werd tussen 1688 en 1701 verlaten en raakte in verval. De gebouwen raakten spoedig volledig overgroeid en vormden de aanleiding tot het ontstaan van allerlei volksverhalen en legendes.'

'Zeg, mam,' zei Jess, 'vind je het goed als ik in mijn eentje wat rondloop? Niet dat ik het met jou vervelend vind, hoor, maar ik wil gewoon even de sfeer proeven. Ik lees de gids zelf wel. Je hoeft me niet voor te lezen.'

'Ha!' zei haar moeder spottend. 'Jij een gids lezen? Maar oké, ik houd mijn mond wel.'

Ze glimlachte. 'Ik zal het wel lezen en als je iets wilt weten, kun je het aan mij vragen.'

'Bedankt. Ik zie je zo wel weer,' zei Jess en ze wandelde weg. Overal om haar heen torenden in verval geraakte muren omhoog. In het nabijgelegen bos krasten raven en hun geluid echode op een akelige manier rond.

Jess sloeg rechts af, liep onder een voormalige deuropening door, langs een grindpaadje en om een ronde toren met een vreemd, gapend raam dat haar dreigend leek aan te staren. In de toren leidde een druipende wenteltrap naar beneden om te eindigen op een zanderige vloer. Er trok een tochtvlaag langs Jess' gezicht. Ze voelde zich koud en vreselijk eenzaam.

Plotseling wilde ze met Fred praten, ze had al tijden geen sms meer van hem gekregen. Ze pakte haar mobiel en belde hem. Geen antwoord. Ze kreeg de voicemail.

Jess sprak geen bericht in. Ze wilde niet de indruk wekken dat ze wanhopig zat te hunkeren. Ze had een ander, briljant plan: ze zou hem thuis bellen. Waarschijnlijk was hij nog niet naar zijn werk – de meeste cateringklussen begonnen rond lunchtijd of 's avonds. Op dit tijdstip, halverwege de ochtend, was hij vast thuis.

Haar vingers trilden van opwinding toen ze zijn nummer intoetste. Ze hoorde de telefoon overgaan in dat heerlijke huis waar Freds betoverende aanwezigheid een dagelijkse realiteit was. Toen nam er iemand op. Het was Freds moeder.

'Met Anne Parsons.'

'Hallo, met Jess. Is Fred thuis?'

'O, hallo Jess. Nee, hij is helaas een paar dagen weg.'

'Hè? Ik dacht dat hij een baantje had!'

'Nee, hij is gisteren ontslagen omdat hij knoeide en niet beleefd genoeg was. Stom van hem! En nu is hij met iemand naar Riverdene. Met Luke, geloof ik.'

Jess' hart trok samen van schrik. Fred naar Riverdene? Dan zou hij Flora tegenkomen. Of – en bij deze gedachte sneed er een ijzige spies dwars door haar hart – had hij daar stiekem met Flora afgesproken?

# 19

Heldhaftig trachtte Jess de conversatie levendig en luchthartig
voort te zetten, al lag haar hart in drieduizend scherven aan
haar voeten. Nee, vierduizend. Daar kon Thomas Hardy nog
een puntje aan zuigen.

'O. Aha. Dank u wel. Nee, het is niet dringend!' zei Jess terwijl ze probeerde nonchalant en ontspannen te klinken. Dus
Fred had de Riverdene-kaartjes helemaal niet verkocht! De leu-
genaar. Ze was ziek van ellende.

'Heb je het leuk?' vroeg de moeder van Fred.

'Ja hoor,' zei Jess moet op elkaar geklemde kaken. 'Het is
hartstikke gaaf. Maar ik moet nu ophangen. Mijn beltegoed is
bijna op.'

Ze verbrak de verbinding. Terwijl ze haar mobiel terugstopte
in haar zak, hoorde ze de voetstappen van haar moeder, die
voorzichtig de natte treden afdaalde. Jess hoopte maar dat ze
het gesprek niet had gehoord.

'Jess! Daar ben je dus,' zei haar moeder toen ze beneden was.
'Ik was je kwijt. Wat is er lieverd, je ziet zo bleek.'

'Niets,' zei Jess terwijl ze het beven van haar handen probeerde te verbergen. Fred en Flora samen op Riverdene! 'Alleen...' Ze probeerde snel een verklaring te verzinnen. 'Alleen
voelt het hier een beetje raar.'

'Kom, dan gaan we lekker theedrinken in het café,' zei haar

moeder. 'Dan voel je je zo weer beter.'

Dat was typisch haar moeder. Het idee dat een kopje bruin water de totale waanzin zou kunnen afwenden!

Ze gingen naar het koffiehuisje bij de ingang, waar Jess een warme chocolademelk bestelde. Therapeutisch gezien geen wondermiddel, maar in elk geval beter dan thee.

'Die toren waar je was, heet de St. Margaret Toren,' zei haar moeder na een blik in de gids. 'Het is een van de oudste delen van het kasteel. En naar het schijnt huist in de kelder, staat hier, de "Witte Dame, de geest van Lady Margaret Pomeroy die er volgens de legende was opgesloten door haar jaloerse zuster Lady Eleanor. Verschillende mensen beweren haar aanwezigheid in de toren gezien of gevoeld te hebben." Dus misschien heeft de Witte Dame je daarbeneden aan het schrikken gemaakt.'

'Ja, misschien,' zei Jess. Het was wel interessant dat de toren het toneel was geweest van een diepe vijandschap tussen zusters. Als Flora Fred afpikte, zou Jess direct een cementmixer huren en haar levend inmetselen. Misschien niet voor de rest van haar leven, maar gewoon, tot ze haar aantrekkelijkheid verloor. Hoewel. Flora kennende zou die op haar negentigste nog steeds een verpletterende schoonheid zijn.

Na de warme chocolademelk verzekerde Jess haar moeder dat ze over de schrik heen was.

'Ik geloof trouwens niet in geesten,' zei haar moeder resoluut terwijl ze terugliepen naar de auto.

'Maar mam, je zit elke donderdagavond aan de tv gekluisterd voor *Het Spookhuis!*' zei Jess. 'Je bent dol op dat soort dingen.' Ze bedacht dat je ook spoken ging zien als je verliefd was. De spoken van je twee beste vrienden, bijvoorbeeld, die vrolijk liepen te flirten op Riverdene.

'Hé, zijn jullie nu al terug?' zei oma toen ze bij de auto kwamen. 'Ik heb heel gezellig zitten praten met een mevrouw die haar hond uitliet. Hij heette Bosun en schijnt zesendertig pups te hebben verwekt. Ze liet me ook haar poepschepje zien, een heel elegante. Die had ze in New York gekocht.'

Jess' moeder ging in de auto zitten en tuurde over haar bril heen op de kaart.

'Wat vinden jullie?' vroeg ze. 'Waar zullen we nu eens heen gaan? Hebben jullie zin in een tuin, een buitenhuis of een dierentuin?'

'Ik word een beetje moe van al dat geren, lieverd,' zei oma. 'Ik wil niet vervelend doen, maar ik zou graag even ergens willen blijven. Al dat in- en uitpakken is zo vermoeiend. Ik val telkens in slaap tijdens het journaal van zes uur.'

'Ik wil ook ergens blijven,' zei Jess. 'Ergens aan zee.' Ze verlangde ernaar uren achtereen naar de golven te staren. En zich er vervolgens in te werpen, misschien.

'Kunnen we niet naar Mousehole?' informeerde oma. Mousehole was een leuk vissersdorpje waar zij en opa op huwelijksreis waren geweest.

'Ik wil ook naar Mousehole!' zei Jess. Zelfs in haar diepe ellende voelde ze nog genegenheid voor donzige knaagdiertjes, al vormden ratten daarop een uitzondering – vooral als het je eigen beste vrienden waren. 'Of liever nog naar St. Ives! Ik wil dolgraag naar papa!'

'Nou, we zouden rechtstreeks naar Penzance kunnen gaan, dat is vlak bij Mousehole. Ik kan de overnachting wel regelen met mijn mobiel. En dan kunnen we daar het weekend blijven. Dan kunnen jullie zoveel je wilt in Penzance en Mousehole rondhangen terwijl ik tuinen en andere dingen langs de kust ga bekijken. Het is niet ver, dat kan makkelijk in een dag.'

'Goed idee, mam!' zei Jess. 'Je vindt het toch altijd leuker om die tuinen in je eentje te bekijken.' Jess zag het wel zitten, wat lange, eenzame dagen voor zichzelf. Dan kon ze lekker schilderachtig ongelukkig zijn.

'Toch zou het leuk zijn als je ook eens wat interesse opbracht voor zulke dingen,' zuchtte haar moeder.

'Mam, doe normaal! Ik ben een tiener, hoor! Ik zou een sociale outcast zijn als ik op mijn leeftijd geïnteresseerd was in tuinen!'

Haar moeder, die een mobiel bezat voor noodgevallen, pleegde een paar telefoontjes om onderdak te regelen. Toen reden ze weg van het spookkasteel – Jess wierp nog een lange blik over haar schouder – en binnen een halfuur waren ze bij een tweebaansweg waar de auto's heerlijk overheen raceten.

'Mag ik de kaart even zien, oma?' vroeg Jess. Haar moeder had geen kaartlezer meer nodig nu ze op de grote weg zaten. Oma gaf de kaart aan Jess. Penzance leek helemaal niet ver van St. Ives te liggen. Misschien werden haar ouders, geïnspireerd door oma's romantische avonturen in Cornwall, wel weer verliefd.

Jess deed een schietgebedje: God, als u over relaties gaat, kunt u er dan voor zorgen dat mijn vader en moeder er weer een krijgen? En dat we dan met zijn allen in een groot huis aan zee gaan wonen met een enorme hond die Boss heet? En kunt u er alstublieft voor zorgen dat Flora heel erg gaat stinken, als het niet te veel moeite is? Alleen zolang Riverdene duurt.'

Hoewel. Het zou misschien ook wel slim zijn om Flora voor de rest van haar fantastische leven op te zadelen met een vreselijke lichaamsgeur.

'Moet je horen wat voor grappige dingen ze in de gids schrijven,' zei oma. 'Dit gaat over Mousehole: "De vissers van Mousehole hadden ooit een reputatie op het gebied van smokkelen, vloeken, dronkenschap en liederlijkheid. Allemaal dingen waar nette mannen jaloers op waren." Interessante man, die auteur. Hoe heet hij eigenlijk? Darrell Bates. Ken je hem, lieverd?'

'Alleen van mijn werk in de bibliotheek,' antwoordde Jess' moeder. 'We zijn nooit uit geweest of zo.'

'Als je een keer uit mocht met een schrijver, wie zou je dan kiezen?' vroeg Jess.

'Een dode of een levende?' vroeg haar moeder.

'Nou, jou kennende zou je natuurlijk het liefst een dode hebben, maar als je nou eens voor één keer iemand kiest bij wie je nog een pols voelt?'

'Hè nee,' antwoordde haar moeder, in één gebaar de volledige, nog levende mensheid wegwuivend. 'Maar voor Shakespeare mag je me altijd wakker maken.'

Alles wat Jess dus te doen stond was haar vader overhalen om zijn hoofd kaal te scheren, een baard te laten staan, rimpelige maillots te dragen en een paar onovertroffen, geniale werken te schrijven. Eitje.

## 20

Na een poosje slaagde Jess erin haar jaloezie heel eventjes te
vergeten en hield ze op met nadenken over de nachtmerrie die
zich in Riverdene zouden kunnen afspelen. In plaats daarvan
vroeg ze zich af hoe het huis van haar vader eruit zou zien. Op
dat moment kondigde haar moeder aan dat ze een fikse hoofdpijn voelde opkomen.

'Ik ga zo stoppen en dan moeten we hier maar ergens overnachten,' zei ze. 'Ik bel het pension in Penzance wel dat we
morgen komen in plaats van vandaag. Ik hoop maar dat ze dat
niet vervelend vinden.'

Bijna direct zagen ze een bord met 'b & b op de boerderij'. Ze
volgden de borden naar de boerderij. De deur werd openge-
daan door een grote vrouw met een rood gezicht die werd ge-
flankeerd door drie dikke, kwijlende labradors.

'Ik heb alleen één grote kamer vrij, vrouwke,' zei de boerin
op loeiende toon. 'Prima, prima,' zei Jess' moeder, die met een
tragische uitdrukking op haar gezicht haar voorhoofd vasthield. 'Kom maar mee dan,' zei de boerin en ze volgden haar in
het schemerduister een oude trap op, naar een ouderwetse over-
loop met lage balken. Het huis zag er bijna net zo spookachtig
uit als Berry Pomeroy Castle.

'Hier is het,' zei de vrouw terwijl ze een lage deur openduw-
de. Ze kwamen in een langgerekte, lage kamer met drie bed-

den waar het vaag naar natte honden rook. 'De badkamer is aan de overkant van de gang.' Ze kregen een groezelig hokje te zien met een lichtbruin, gebarsten bad dat uit de jaren zeventig moest stammen.

'Enig, dank u wel,' zei Jess' moeder. 'Heel goed. Prima.'

'Nou, dan laat ik jullie alleen,' zei de boerin. 'Willen jullie een kopje thee?'

'Straks graag, dat zou heerlijk zijn,' antwoordde Jess' moeder. 'Ik ga eerst een halfuurtje liggen.' Ze gingen terug naar hun slaapkamer, waar Jess' moeder op een van de bedden zakte en haar hoofdpijnpillen pakte.

'Het spijt me,' zei ze schor. 'Morgen is het wel weer over.'

'Maak je maar geen zorgen, lieverd,' zei oma. 'Ik pak wel even een nat washandje voor je.'

Jess ging naar beneden om de tassen te halen. Er was een grijze wolk van somberheid over haar neergedaald. Ze had zich er zo op verheugd om aan de kust te overnachten, en om snel haar vader weer te zien. En nu zaten ze de rest van de dag vast in deze hel!

Jess had een smal bedje in de hoek van kamer. Het was erg krap allemaal. Ze smokkelde haar mobiel mee naar de troosteloze badkamer en keek of er een sms van Fred was. Niets.

Haar moeder lag op bed met een nat washandje op haar voorhoofd en oma deed een tukje. De gordijnen waren dicht. De kamer leek op een veldhospitaal in een oorlogsfilm. Jess moest hier weg. Ze sloop de trap af en ging naar buiten. Daar hing een bord met de tekst: 'U mag gaan en staan waar u wilt, maar sluit wel de hekken en pas op voor de stier!'

Verder waren er alleen weilanden. Jess liep het dichtstbijzijnde veld in, nadat ze zich er eerst van had overtuigd dat er geen gekke koeien of moordzuchtige schapen liepen, klaar om toe te slaan.

Nu ze hier zo in een groot veld stond, realiseerde ze zich dat Fred en Flora samen ook in een groot veld waren: op Riverdene. Direct doemde er een afschuwelijk beeld in haar hoofd op.

'Wat zou het heerlijk zijn om in de tropen te wonen,' zei Flora, die er met de zon achter zich en een krans van madeliefjes in haar haar overdonderend mooi uitzag. 'In een huis met een grote, houten veranda die uitkijkt over een veld met palmbomen,' ging ze verder terwijl ze haar prachtig bruine armen spreidde in het zonlicht. 'En dan had ik een hangmat en voerde de papegaaien mango's uit mijn eigen mangoboom.'

'En dan heb je zeker ook een zwembad en een tennisbaan?' vroeg Fred die zich blijkbaar probeerde voor te stellen hoe Flora er tennissend of waterpoloënd uit zou zien.

'Ja zeker!' antwoordde Flora. 'Hoewel ik met mijn blonde haar en blauwe ogen wel moet oppassen voor schade aan mijn huid.' Fred, de rat, keek haar gefascineerd aan.

'Zeker,' mijmerde hij. 'Heel anders dan Jess, die zo donker en klein is en, eerlijk gezegd, nogal een dikke kont heeft. Ik heb me altijd afgevraagd hoe jij er toch in slaagt, Flora, om zo heerlijk te geuren, terwijl Jess, de schat, helaas meer ruikt naar een ham die te lang buiten de koelkast heeft gelegen.'

Jess bande het afschuwelijke visioen uit haar hoofd. Het was vreselijk om verstrikt te raken in deze walgelijke gedachten. Er was maar één manier om uit te vinden of Fred en Flora inderdaad op Riverdene hadden afgesproken, en dat was door hen op te bellen. Ze pakte haar mobiel weer en belde Fred. Zijn mobiel stond uit. Ze belde Flora. Haar mobiel stond ook uit.

Plotseling kwam er een sms van haar vader binnen. MAMA ZEGT DAT JE DINSDAG KOMT. KAN NIET WACHTEN! WELK JUNK-FOOD VIND JE TEGENWOORDIG LEKKER? ZELF BEN IK AAN DE PINDA'S. IK ROOF ALLE VOGELVOEDERTAFELS IN DE BUURT LEEG.

Jess grinnikte en maakte een lijst: NACHOCHIPS MET KAAS EN DIP, COLA, CHEESEBURGERS MET EXTRA FRIET, PIZZA MET SALAMI, GEPOFTE AARDAPPEL MET CHILI. DAT IS ALTHANS WAT IK BIJ HET ONTBIJT HEB GEGETEN.

Ze duwde op de verzendknop, maar de telefoon bliepte gemeen en er verscheen een tekst: bericht kan niet verzonden worden. O, nee hè! Alweer door haar beltegoed heen. Kwam vast door dat lange gesprek met de moeder van Fred. En waar was het dichtstbijzijnde dorp waar ze een telefoonkaart kon kopen? Kilometers verderop. Nu had er een wolk voor de zon moeten schuiven en een felle regenbui moeten neerdalen op haar gelaat. Maar de zon bleef onverstoorbaar schijnen. Jess kwam bij een hek dat naar het volgende veld leidde. Ze klom erop en keek over de heg.

Op minder dan drie meter afstand stond een enorme stier. Hij draaide zijn massieve kop om en keek haar aan met afschuwelijke, waanzinnige, roze oogjes. Jess draaide zich om, sprong naar beneden en rende als een gek terug naar het huis. De boerin was de kippen op het erf aan het voeren.

'Je oma zit in de tuin, meiske, en je moeder slaapt,' zei de boerin. Jess liep om het huis heen en vond haar oma met een kopje thee onder een parasol op een stenen terrasje.

'Hallo lieverd,' zei oma stralend. 'Ik heb van mevrouw Hawkins wat cakejes gekregen. Neem er ook een.'

Jess ging bij haar oma zitten en nam een cakeje. Wat zou ze nu gemakkelijk kunnen vluchten in vreetbuien als troost voor haar gebroken hart. Ze staarde naar de bloembedden zonder ze te zien; haar gedachten waren honderdvijftig kilometer verderop, in Riverdene.

'Is er iets, lieverd?' vroeg oma. Ze boog zich naar Jess over en keek haar oplettend aan alsof ze Miss Marple, de detective was.

'Nee hoor.' Jess probeerde haar woorden kracht bij te zetten met een opgewekte glimlach. Maar ze voelde hoe haar glimlach uitdoofde als een zaklamp met een bijna lege batterij. Oma fronste.

'Er is iets met je, lieverd. Kom op, voor de draad ermee. Ik kan het misschien niet voor je oplossen maar het helpt altijd om erover te praten.'

Jess aarzelde. Ze durfde tegen haar moeder niet over Fred te beginnen, maar misschien wel tegen oma? Die was een stuk minder fel als het mannen en jongens betrof. Ze vond ze op haar manier zelfs wel schattig.

'Oma...' zei Jess aarzelend, 'was jij ooit, toen jij en opa jong waren... jaloers op andere meisjes?'

'Of ik ooit jaloers was?' riep oma uit. Ze gooide haar hoofd naar achteren en lachte. 'Ik zal nooit Christine Elliott vergeten, een brunette met een slangachtig lachje. Die probeerde opa af te pikken tijdens ons jaarlijkse reisje naar de kust. Dat was in de dagen van de minirokjes, ongeveer in 1964, denk ik. Hemeltje, het lijkt wel gisteren.'

'Wat gebeurde er dan?' vroeg Jess.

'Nou, opa en ik zaten op het strand. Ik zeg nou opa, maar we waren ongeveer vijfentwintig in die tijd. Dat mens van een Christine had tijdens de lunch te veel gedronken bij haar fish & chips. Toen we met zijn allen naar het strand gingen, deed ze voor onze ogen een soort striptease. Gelukkig had ze haar bikini onder haar kleren aan, maar ze gooide haar panty zo in opa's gezicht, schreeuwde "pak me dan als je kan!" en rende de zee in.'

'Ik hoop dat ze is verdronken,' zei Jess.

'Helaas niet,' zei oma. 'Ze spartelde nog een poosje rond, sprong wat op en neer en deed of ze haar bovenstukje had verloren. Raar mens. Toen ze er weer uit kwam, liet ze zich pal naast

John op het zand vallen en zei "droog je me even af, John?".'

'Wat een snol,' zei Jess. 'Ik hoop dat opa deed of hij niets hoorde.'

'Hij gooide haar handdoek over haar heen en zei dat het zo wel weer mooi was geweest,' zei oma. 'En ik heb toen iets heel ergs gedaan.'

'Wat dan? Wat dan?'

'Ik heb haar kleren gepakt, ben naar de zee gerend en heb ze in het water gesmeten. Daarna hadden we geen last meer van haar,' zei oma met grimmige tevredenheid.

'Vergeet nooit dat het strand een gevaarlijke plek kan zijn, lieverd. Al die mensen die hun kleren uittrekken en goede raad in de wind gooien.'

Jess zuchtte. Het was een mooi verhaal, maar ze had er weinig aan.

'Maar wat zit jou nou dwars, lieverd?' vroeg oma.

'Beloof je het niet aan mama te vertellen?'

'Ik vertel haar nooit iets,' zei oma met een slim lachje.

'Er is een jongen die ik leuk vind. En hij vindt mij ook leuk.'

'Frank?' vroeg oma. Ze vergat zijn naam altijd.

'Fred, ja.'

'Aardige jongen. Hij heeft heel expressieve ogen. Net een zeeleeuw.'

Daar ging Jess maar niet op in. Freds ogen waren inderdaad groot en grijs.

'Ik ben erachter gekomen dat Flora en hij allebei naar Riverdene zijn.'

'Samen?' vroeg oma scherp.

'Eh, nee, ik geloof dat ze niet echt samen zijn gegaan – tenzij ze hebben gelogen,' zei Jess. 'Flora is met haar zus en de moeder van Fred zei dat Fred met Luke is gegaan.'

'Ik heb iets in de krant gelezen over dat muziekfestival,' zei oma. 'Hoeveel mensen denk je dat er komen? Honderdduizend?'

'Ik weet het niet, maar ze komen elkaar vast tegen. Er gaan bosjes mensen van school naartoe en die gaan elkaar allemaal sms'en.'

'Nou, zelfs als ze elkaar tegenkomen,' zei oma, 'zal die jongen toch geen misstap begaan als hij jou echt leuk vindt?'

'Maar Flora is zo verdomde mooi!' gromde Jess.

'Een lief gezichtje vindt iedereen leuk,' zei oma, 'maar heel mooie meisjes schrikken jongens eerder af.'

'Oma!' zei Jess. 'Je had moeten zeggen "jij bent toch honderd keer mooier dan Flora, lieverd".'

'Dat ben je natuurlijk ook,' zei oma, 'maar het gaat niet alleen om het uiterlijk. Jij hebt meer charisma in je pink dan die Flora in haar hele lijf. En het is charisma waar het om draait, lieverd,' voegde ze eraan toe met haar meest charismatische knipoog. Het nieuws dat ze charisma had en Flora niet, beurde Jess enigszins op. 'Maar oma,' ging ze verdrietig verder, 'als ze nou toch iets krijgen, ondanks alles?'

'Dan,' fluisterde oma terwijl ze voorover leunde, 'verzinnen we een vals plan om haar te vermoorden, lieverd!'

Hierop voelde Jess zich wat beter. Samen met oma bedacht ze een spel waarin de ene speler een onschuldig huishoudelijk voorwerp moest noemen en de ander een manier moest verzinnen om Flora ermee te vermoorden. Zo kwamen ze op een prettige manier de rest van de middag door. Jess' favoriete moordwapen was de kaasschaaf, maar oma had liever een grote houten lepel: het kostte meer tijd om daarmee het gewenste resultaat te bereiken, maar het bood ook veel meer voldoening.

**21**

De volgende dag reden ze naar Penzance, in het uiterste puntje van Engeland. Eindelijk waren ze bij de oceaan, die onmete-
lijk en glanzend voor hen lag. Het dorpje op de heuvel zag er
exotisch uit. In de jachthaven lagen grote hoeveelheden boten
waarvan de masten op en neer deinden.

'Lieve Fred,' begon Jess in gedachten een nieuwe brief. Ze
zou het later wel opschrijven.

> Eindelijk zijn we bij de kust. Ik maak koortsachtig plannen
> om aan te monsteren en als scheepsjongen met meis-
> jesachtige wimpers en tuttige pruillipjes mijn overtocht
> naar Panama te betalen. Of misschien transformeer ik me-
> zelf tot zeemeermin. Hoewel. Mezelf kennende gaat dat
> mis en word ik iets met een vissenhoofd en blote mensen-
> billen – het slechtste van twee werelden.
> Zodra ik erin slaag om contact met je op te nemen via mijn
> mobiel, ga ik naar het strand om het geluid van de golven
> en het geschreeuw van de zeemeeuwen aan je te laten ho-
> ren. Een soort low budget audioversie van *Pirates of the
> Carribean*, zonder Orlando Bloom, zonder Johnny Depp,
> en, eh, helaas ook zonder de Caribische Zee. Zonder pira-
> ten ook, vrees ik.

Palmbomen waren er wel. In de voortuin van de B & B. Jess'
moeder reed de oprit op en parkeerde de auto, waarbij ze gelukkig het contact met een laag, met bloemen begroeid muurtje wist te vermijden.

'We zijn er,' zei ze. Ze stapten uit – oma nogal stram – en gingen naar binnen.

'Hallo daar!' klonk het uit de mond van een grote man met
een flinke bos rode krullen. 'Ik ben Bernie Ackroyd! Hoe is het
met de hoofdpijn? Beter, mag ik hopen?' Hij schudde iedereen
de hand, waarbij hij diverse breuken veroorzaakte, en stond
erop alle tassen naar boven te dragen, wat hem in één keer lukte.

'Volgens mij is het een Australiër!' fluisterde oma. 'Hij praat
door zijn neus!'

Jess had een vreselijke hekel aan de gewoonte van haar moeder en oma om met luide fluisterstemmen te praten over mensen die ze tegenkwamen.

'Oma, stil!' siste ze. Ze wilde Bernie niet beledigen. Je kunt
maar beter op goede voet staan met iemand die met zijn blote
handen een krokodil de baas kan.

Haar moeder en oma kregen een pimpelpaarse tweeper-
soonskamer aan de voorkant van het huis en Jess kreeg er een
aan de achterkant. De muren van Jess' kamer waren bloedrood
met een vleugje modderkleur geverfd. Bernies kleurgevoel
was blijkbaar nogal primitief.

Het kon Jess niet schelen. Het was fijn om een tweeper-
soonskamer voor zichzelf te hebben. Nu kon ze haar kleren
overal neergooien en brieven aan Fred schrijven zonder im-
pertinente vragen te hoeven beantwoorden. En zodra ze haar
beltegoed had opgewaardeerd, kon ze in bed gaan liggen en
hem de hele avond sms'en tot hij zou smeken om genade.

Ze ging naar de kamer van haar moeder en oma om geld te vragen voor een opwaardeerkaart. Bernie hing er nog rond en kletste met haar moeder. Hij was zelfs op het bed gaan zitten, wat Jess behoorlijk bijdehand vond.

'Ik was vroeger sportleraar,' vertelde hij. 'Maar toen kwam ik hier en van het een kwam het ander.'

'Hoe lang heb je deze bed & breakfast al?' vroeg haar moeder met een afschuwelijk meisjesachtig lachje. Ze leek op een twaalfjarige die verliefd is op de voetbaltrainer.

'O, een jaartje of wat,' antwoordde Bernie.

'Doe je het in je eentje?' vroeg haar moeder. Het klonk alsof ze erachter probeerde te komen of hij getrouwd was! Misschien vond ze hem leuk. Gênant!

'Ik heb wat meisjes die me helpen met de bedden en het ontbijt,' zei Bernie. 'Maar ik kook altijd! Eten jullie vanavond hier? Ik ga moussaka maken.'

'Uitstekend!' zei haar moeder. Vreemd. Normaal was ze niet zo dol op moussaka.

'Goed...' zei Bernie. 'Dan laat ik jullie maar even uitpakken. We eten om halfacht, is dat goed? Hier zijn de sleutels. Er zit er ook een bij van de voordeur voor het geval jullie vanavond de bloemetjes buiten willen zetten.' Met die opmerking verliet hij de kamer terwijl hij knipoogde naar haar moeder! Mijn hemel! Alsof hij haar leuk vond! Wat een gruwel! En Jess was net bezig om haar ouders weer bij elkaar te krijgen. Ze zat niet te wachten op een Bernie die tussenbeide kwam. Hij zag eruit alsof hij haar vader met een beweging van zijn pink zou kunnen vermoorden.

'Wat een aardige man,' zei haar moeder terwijl ze naar het raam huppelde. 'En wat een prachtig uitzicht!'

Mijn moeder maakt zich op voor een grote misstap, ging Jess verder met haar brief aan Fred. Ze dringt zich op aan de enorme Australiër die eigenaar is van deze tent. Mijn arme vadertje maakt geen enkele kans. Ik heb een plannetje gemaakt om ze weer bij elkaar te brengen, maar die Aussie gaat het waarschijnlijk winnen met zijn Griekse specialiteiten en zijn rugbyliedjes. Ik vrees dat hij mijn moeder, als ik morgen wakker word, rood heeft geverfd zodat ze bij de achterkamer past.

Binnen enkele maanden zal ik opgescheept zitten met een lelijke stiefbaby met vetrollen en rode dreadlocks. Tenzij ik mijn moeder voortijdig in de menopauze krijg. Heb je suggesties? Kijk even voor me op internet en stuur me snel een sms met de details, graag.

'Mam,' zei Jess, 'mag ik alsjeblieft nog een opwaardeerkaart gaan kopen? Ik moet weten of het goed gaat met Flora.'

Haar moeder gaf haar tien pond en een paar minuten later stond Jess in de hoofdstraat.

Penzance is raar, schreef ze in haar geheime brief aan Fred. Met hoge, oude trottoirs. Als ik ook maar iets had van een heldin uit een roman van Jane Austen, zou ik me hier van een krakkemikkige trap werpen en wekenlang schilderachtig tussen leven en dood zweven. Maar ik heb andere plannen. Je weet niet half hoe heerlijk het is om weer winkels om je heen te hebben na al die aangrijpende kerkhoven, spookruïnes en afgelegen hoeves.

Ze dook een winkel in en kocht een opwaardeerkaart, ging weer naar buiten en zette haar mobiel aan. Meteen verscheen er een bericht van Fred. Haar hart sprong op. Ze had geen con-

tact meer met hem gehad sinds die vreselijke sms. HET IS RO-
SIE WAAR JE JE ZORGEN OVER ZOU MOETEN MAKEN...

Dat was dágen geleden. Eigenlijk had Jess niet geantwoord
omdat ze boos was. En omdat haar beltegoed op was. Tot twee
keer toe. Dus wat zou Fred te melden hebben? Zijn bericht was
meer dan vierentwintig uur geleden verzonden.

IK WACHT EN WACHT EN WACHT EN WACHT EN WACHT EN
WACHT OP EEN BERICHT VAN JOU. NIETS. MEVROUW, IK GA ER-
AAN KAPOT.

Jess belde hem meteen, maar zijn mobiel stond uit. Daarom
stuurde ze hem een sms. SORRY, HAD GEEN BELTEGOED MEER.
BEN NU IN PENZANCE. VLAK BIJ ST. IVES. HOE IS HET? Ze slaagde erin geen jaloerse opmerkingen over Rosie of Flora te maken. Haar mobiel hield ze in haar hand, wachtend tot hij zou
bellen, smachtend naar een antwoord. Onderwijl slenterde ze
de hoofdstraat door en bekeek alle winkels.

Ze kwam wat fantastische kleren tegen, en een boekhandel
waar ze een halfuur doorbracht en toen, aan het einde van de
straat, stuitte ze op een klein, overdekt winkelcentrum met een
filiaal van de Body Shop. Yessss! Jess had sinds Dorchester
niets meer aan haar make-up kunnen doen, en dat was dagen
geleden. Ze probeerde alle parfums.

Er was Meloen, Kokosnoot en Grapefruit, maar geen Fred-
geur. Zijn huid rook uniek, naar warm gras. Bij die gedachte
werden haar benen slap. Waarom antwoordde hij niet?

Waarschijnlijk stond zijn mobiel nog steeds uit. Hij zou zo
wel antwoorden. Ze moest niet overdrijven. Als ze Flora nou
eens een sms'je stuurde. Zo gezegd zo gedaan. Misschien kon
Flora wat duidelijkheid verschaffen.

Maar de hele middag ging in stilte voorbij. Geen bericht van
Fred, noch van Flora. Ze probeerde Fred nog eens te bellen,

maar zijn mobiel stond uit, net als die van Flora. Dat was verdacht, althans volgens Jess, die langzaamaan gek dreigde te worden.

Uiteindelijk sprak ze in op Freds voicemail: 'Nou moet je eens luisteren, Parsons,' zei ze, terwijl ze probeerde niet te boos of te verlangend te klinken, 'je moeder zegt dat je toch naar Riverdene bent. Ik wil je alleen even laten weten dat als dat zo is, ik je de eerstvolgende keer dat we elkaar zien zal vermoorden. Met bestek naar keuze. Nee hoor, veel plezier! En stuur me een sms. Please!'

# 22

'Het plan is om vandaag naar Mousehole te gaan,' zei Jess' moeder, 'om daar', ze liet haar stem dalen, 'de as van opa te verstrooien. Denk je dat je er klaar voor bent, oma?' Oma wel, dacht Jess droevig. Maar ben ík er klaar voor? Ze had een vreselijke nacht gehad vol onrustige, jaloerse dromen over Flora en Fred.

'Natuurlijk ben ik er klaar voor!' Oma stak haar kin moedig naar voren. Haar lip trilde een beetje. 'En jij, Madeleine?'

'Wij zijn vrouwen uit een sterk geslacht!' zei Jess' moeder. Maar Jess voelde zich helemaal niet sterk. Ze had dringend behoefte aan gewapend beton rondom haar ruggengraat.

Bernie kwam naar de tafel gedarteld op een flirterige manier die al onuitstaanbaar was geweest bij een man van half zijn lengte.

'Hoeven jullie mijn worstjes niet, meisjes?' klaagde hij. 'En, Madeleine, je hebt je bacon niet eens aangeraakt.'

'We zijn een beetje gespannen vanochtend,' bekende Jess' moeder. Niets zeggen, niets zeggen, dacht Jess dringend. Niets zeggen over as of urnen of dode opa's, ik smeek het je!

'We hebben vandaag namelijk een droeve taak te vervullen,' ging haar moeder door. 'We gaan de as van opa in zee verstrooien, bij Mousehole.' Bij dit nieuws zakten Bernies mondhoeken ongeveer duizend meter naar beneden en het gezin aan de tafel naast hen, sprong haastig op en verliet de kamer.

'Hè, wat vervelend, dat wist ik niet,' zei Bernie terwijl hij gegeneerd zijn hoofd krabde en enigszins terugdeinsde. 'Nou, ik
hoop dat het allemaal lukt.' Wat kon je verder ook zeggen?

Er zijn mensen bij wie vakantie draait om zon, zee, zand en
windsurfen, maar Jess kreeg langzamerhand het gevoel dat ze
deel uitmaakte van de Britse versie van de Addams Family, die
somber rondwaarde met die verdraaide urn. Toen ze de ontbijtzaal verlieten en hun kamers weer opzochten, had ze het gevoel
dat er een onheilspellende, donkere wolk on hen heen hing.

Opa had dit vreselijk gevonden. Hij was een vrolijke, knuf-
felbare man geweest met een zwaar noordelijk accent en heerlijk grote oren, als een olifant. Jess voelde een steek van verdriet omdat ze nooit meer op zijn knie zou kunnen zitten of de
zakken van zijn jasje zou kunnen omkeren op zoek naar smar-
ties. Maar nu ze erover nadacht was ze ervan overtuigd dat ze
inmiddels zo'n dikkerdje was geworden, dat het wreed zou zijn
om nog op de schoot van een oude man te kruipen. Dat had on-
herroepelijk geleid tot een gebroken dijbeen.

'Niet van die punkachtige, zwarte dingen aantrekken vandaag!' siste haar moeder met haar hoofd om de deur. 'Doe
maar iets vrolijks. We herdenken opa's leven, het is geen droe-
vige bijeenkomst. Ik ga een gedicht over hem voorlezen.'

'O nee hè, mam! Dat heb je bij zijn begrafenis ook al gedaan.'

'Ik heb nu iets veel beters geschreven,' zei haar moeder een
beetje betrapt.

'Je maakt het er voor oma niet makkelijker op als je alles zo
traineert met gedichten en zo,' zei Jess. 'En ik word altijd misselijk als je poëzie gaat voordagen. Dat is niet persoonlijk be-
doeld, hoor, je gedichten zijn fantastisch. Maar ik lees ze liever
in stilte. Anders doet het me zo denken aan de weekopening
op school.'

'Het duurt niet lang,' zei haar moeder, 'het is een kort ge-dichtje. Nou, haast je! We gaan over vijf minuten weg.' En weg was ze. Jess zuchtte.

Kon het nog erger worden? Eerst de eindeloze ellende van Flora en Fred die elkaars hand vasthielden op Riverdene. Daar-bovenop: het afscheid van opa. En dan nog een laagje moeder die vastbesloten was om er een soort literair festival van te ma-ken. Het leek erop dat deze dag de vorm van kommer-en-kwel-lasagna zou aannemen.

Het was maar een paar minuten rijden van Penzance naar Mousehole. Ze reden over de kustweg langs een landtong.

'Dit is Newlyn,' merkte Jess' moeder op toen ze over een kade reden waarlangs verschillende vissersboten lagen afge-meerd, 'bekend om sardientjesvangst en een beroemde, laat-negentiende-eeuwse schilderschool.'

Jess vond dat haar moeder maar een tweede loopbaan als gids moest beginnen, dan kon ze lekker een buslading Japan-se toeristen bedelven onder al die informatie.

'Ik weet nog dat John en ik een keer in Newlyn zijn gaan theedrinken,' zei oma. 'In een smerig café, echt heel erg, en de scones waren minstens drie dagen oud.'

Jess herinnerde zich dingen die haar opa altijd zei. Ze zocht diep in haar geheugen en riep met zijn barse stem: 'Voer deze scones maar aan de varkens, Valerie! Met die van mij kun je ie-mand de hersens inslaan!'

Oma begon te giechelen maar Jess' moeder wierp Jess via de achteruitkijkspiegel een afkeurende blik toe.

'Helemaal je opa, Jess!' zei oma. 'Wat is ze toch knap, Made-leine. Ze moet bij het toneel met dat talent. Het zou zonde zijn om daar niets mee te doen.'

'Ik word stand-up comedian, weet je nog, oma?' zei Jess.

'Nou, dan word je vast een goede, lieverd,' zei oma. 'Ik hoop dat ik het nog mag meemaken.'

'Ik zet jullie af in het centrum van Mousehole,' zei Jess' moeder. 'Dan ga ik parkeren en zoek jullie daarna weer op.'

Mousehole was maar een klein dorpje, met een haventje met aan twee kanten pieren, die de boten omsloten alsof het armen waren. Het was eb en de boten hingen scheef op hun zij. Ze zagen eruit alsof ze niet konden wachten tot de vloed weer zou opkomen en ze weer konden deinen en dobberen.

Jess en oma stapten pal naast de haven uit en Jess' moeder reed weg. Aan de rand van de kade stond een bankje en Jess en oma gingen zitten.

'Verdraaid,' zei oma. 'nou ben ik verdorie die urn vergeten.'

'Mama brengt hem wel mee,' zei Jess.

Het was even stil, terwijl er wat zeemeeuwen over hen heen vlogen die kwamen kijken of ze soms eten bij zich hadden, dat ze in een snelle duikvlucht met hun snavel konden oppikken.

Plotseling merkte Jess dat de tranen oma over de wangen stroomden. Ze huilde zonder geluid te maken. Het was vreselijk. Hoewel het natuurlijk nog erger was geweest als ze haar hoofd in haar nek had gegooid en gejankt had als een rottweiler met liefdesverdriet.

Jess sloeg haar arm om oma heen. Ze wist niet wat ze moest zeggen en wenste alleen maar dat haar moeder weer snel terugkwam. Huilende volwassenen; het zou verboden moeten worden, vooral in het openbaar. Terwijl oma normaal gesproken zo lekker gek en grappig was. Dat maakte het extra erg om haar lip te zien trillen en de natte glinstering in haar ogen te zien.

'Het spijt me, lieverd,' mompelde oma. 'Jullie jongeren noemen dit geloof ik "even de weg kwijt zijn".'

## 23

'Ik heb over Thomas Hardy nagedacht, lieverd,' bekende oma terwijl ze in de mouw van haar vest naar een zakdoek groef. 'Dat hij wilde dat zijn hart eruit werd gehaald. Ik wou dat ik dat van opa eruit had laten halen. Dan had ik nog een stukje van hem wanneer ik de as heb verstrooid.'

Jess probeerde zich voor te stellen hoe het zou zijn als van Fred alleen nog wat as in een urn over was. De gedachte was zo vreselijk dat ze ook in tranen uitbarstte en er een snottebel uit haar neus opbolde. Jess had geen zakdoek, dus ze veegde haar neus maar aan haar mouw af. Het was wel duidelijk dat haar gevoelens voor Fred nog even sterk waren als altijd, al was die trouweloze hufter er dan met Flora vandoor.

'Niet huilen, lieverd,' snifte oma. 'Nou heb ik je aangestoken, het spijt me.'

Wat vreselijk. In plaats van oma op te vrolijken en haar te steunen, maakte Jess het alleen maar erger. Instinctief zette ze opa's barse, diepe stem weer op.

'Nou wordt-ie helemaal mooi, Valerie, houd op met dat gejammer!' Oma lachte door haar tranen heen. 'Doe normaal, mens. Je blijft van mijn vitale organen af. Een beetje met mijn hart rondsjouwen, het idee alleen al! Jou kennend vergeet je het op een bankje in het park en dan wordt het opgeslokt door een passerende hond!'

Oma begon ongecontroleerd, hysterisch te lachen. Jess was bang geweest dat ze dit keer iets te ver was gegaan, maar oma smeekte om meer. 'Doe nog eens, Jess, doe nog eens!'

'Ik zeg niets meer voor jij ophoudt met dat verdraaide gesnotter, en die verrekte neus van je hebt gepoederd,' baste Jess met de stem van opa. Oma haalde haastig haar poederdoosje te voorschijn en herstelde de schade. Ze was gestopt met huilen.

'Nou, waar wil je dat ik je as laat, John?' vroeg oma, alsof hij in levende lijve naast haar zat.

'Ik wil natuurlijk op de middenstip van Manchester United worden neergepleurd, mens,' zei opa, via Jess.

Oma staarde Jess geschokt aan. 'Daar heb ik nooit aan gedacht!' fluisterde ze in paniek.

'Maak je maar geen zorgen, oma,' zei Jess. 'Dat heb ik alleen maar verzonnen omdat hij zo'n voetbalfan was. Jij wilde de as toch in zee uitstrooien? Nou, dan moet je dat gewoon doen.'

Oma keek uit over de haven en schudde langzaam haar hoofd. 'Ik denk dat dat toch niet zo'n goed idee is,' zei ze. 'Het is eb. We kunnen niet eens bij het water komen. En stel dat we terugkomen als het vloed is, dan staat er misschien wel iemand te kijken. Je hebt hier niet echt privacy. En wat als er plotseling een windvlaag komt. Ik wil niet dat opa over de hele haven verspreid raakt.'

'Weet je, oma,' zei Jess, 'je moet gewoon doen wat jij wilt. Als je meer tijd nodig hebt om na te denken, moet je die nemen. En je hoeft de as helemaal niet weg te doen als je niet wilt.'

'Echt niet?' vroeg oma en er brak een grote opluchting door op haar gezicht.

'Natuurlijk niet, gek mens!' zei Jess met opa's stem.

'Nou, dan houd ik hem misschien wel voor altijd bij me,' zei oma vastbesloten. Ze klonk al een stuk minder beverig. Jess zuchtte diep van opluchting. Ze was kapot. Vermoeiend hoor, wanhopige mensen steunen. Hoe deden professionele therapeuten dat? En zou iemand het ooit voor haar doen?

Haar moeder arriveerde met de urn in haar armen en een uitgeputte uitdrukking op haar gezicht. 'Ik moest ongeveer in het volgende dorp parkeren,' kreunde ze. 'En zelfs daar keken ze me weg.'

'Het geeft niet, lieverd,' zei oma onverstoorbaar.

'Nou, zullen we dan maar?' vroeg Jess' moeder. 'Wat is die urn zwaar. En waar is de zee gebleven?'

'Het is eb,' zei oma. 'En we hebben besloten om opa vandaag niet in zee te gooien.'

'Wat?' zei Jess' moeder. 'Maar ik heb mijn gedicht bij me en zo. Dit is het moment waarop we ons hadden voorbereid.'

'Nee hoor,' zei oma beslist. 'Kom, ik snak naar een kopje thee. En ik zou een moord doen voor een gebakje.'

Na de theepauze maakten ze een wandelingetje door Mousehole. Jess en haar moeder droegen om beurten de urn. Het was wel raar, je overleden opa uitlaten, maar aan de andere kant: opa had zich een kriek gelachen. Jess kon hem haast horen zeggen: nu is het wel weer mooi geweest, Jessica. Om halftwee begint het voetbal!

De kleine straatjes van Mousehole vormden een soort labyrint. De huizen zagen er eeuwenoud uit en midden tussen de gebouwen, achter een hoge muur, was een tuin waar bananenbomen hun grote, tropische bladeren naar de hemel uitstrekten.

'Bananen, wat exotisch!' zei Jess' moeder. 'Zo zal het er in Tanger of zo ook wel uitzien, denk ik.'

Jess vroeg maar niet waar Tanger lag. Ze had alweer genoeg informatie gekregen voor één ochtend. Raar toch, hoe haar moeder kon opvrolijken van een plantje of twee. Jess was blij dat haar moeder er wat gelukkiger uitzag, want ze was van plan bij de eerste de beste gelegenheid op haar moeders schouder uit te huilen. En uithuilen bij iemand die zelf ook depressief was, was niet eerlijk.

Natuurlijk zou ze Fred niet noemen. Maar ze wist vrij zeker dat haar moeder haar zou knuffelen en troosten. Jess zou alleen zeggen dat ze verdrietig was, ze hoefde niet op de details in te gaan. Het mislukken van de asverstrooiing was eigenlijk al genoeg, daar hoefde niet ook nog liefde bij.

Ze lunchten in Mousehole – fish & chips: heerlijk! – en kwamen halverwege de middag terug in Penzance. Oma ging een siësta houden, en Jess' moeder zei dat ze een kijkje ging nemen in een nabijgelegen park.

'Wil je ook mee, Jess?' vroeg ze, in de veronderstelling dat die zou weigeren. Jess was te oud voor schommels en te jong voor planten.

'Ja, daar heb ik eigenlijk wel zin in, mam!' zei Jess. Haar moeder keek verbijsterd, maar accepteerde Jess' gezelschap, en zo liepen ze arm in arm naar het park.

Overal stonden struiken in bloei en palmbomen en Jess voelde hoe haar moeder ontspande bij de aanblik van zo veel natuur. Ze gingen op een bankje in de schaduw zitten. Dit is mijn kans, dacht Jess. Ze wilde net gaan vertellen hoe slecht ze zich voelde en haar hoofd tragisch op haar moeders schouder leggen, toen haar moeder zelf begon.

'Ik heb nagedacht over wat jij zei,' zei ze zachtjes terwijl ze Jess' hand steeds steviger vasthield. 'Het is helemaal niet eerlijk dat ik je nooit heb verteld wat er mis is gegaan tussen papa en mij. Ik geloof dat ik me er altijd een beetje voor gegeneerd heb.'

'Je hoeft het niet te vertellen, hoor, mam,' zei Jess haastig. Ze wist niet zeker of ze vandaag nog meer ellende aankon.

'Nee echt, je zeurt al tijden dat ik het je moet uitleggen,' zei haar moeder. 'Je moet weten dat we maar een paar jaar getrouwd zijn geweest. Hij, nou ja, hij liet duidelijk merken dat hij niet meer met me getrouwd wilde zijn. Hij werd kil en afstandelijk, en een paar maanden na jouw geboorte is hij weggegaan. Ik denk...'

Ze aarzelde even en Jess realiseerde zich tot haar afschuw dat haar moeder vocht tegen haar tranen. O nee, niet weer, hè!

## 24

Jess' moeder haalde een zakdoek te voorschijn, snoot haar neus en hervatte het verslag van haar tragische scheiding. 'Ik denk dat papa wegging omdat hij me, nou ja, omdat hij me niet meer aantrekkelijk vond.'

Jess kromp ineen. Ze liep haar moeder al jaren aan haar hoofd te zeuren om alles over de scheiding te vertellen, maar nu het zover was, wilde ze er liever niets van weten. Het kwam te snel na het emotionele gedoe met oma. Jess besloot deze loodzware scène om te buigen voordat haar moeder nog meer tranen zou plengen.

Ze moest nu doortastend zijn. Het vroeg om moed, maar als ze het met genoeg voortvarendheid aanpakte, zou het misschien wel lukken.

'Nou, dat is ook nauwelijks verbazingwekkend,' zei ze. 'Welke man zou jouw neus van olifantachtige proporties kunnen verdragen, mam? (In werkelijkheid had Jess' moeder een schattig klein neusje.) En dan je groene, van slijm druipende tanden die onderdak bieden aan talloze kleine weekdiertjes!' Jess' moeder floste drie keer per dag.

Haar moeder luisterde. Even leek ze een beetje boos omdat haar ellende aanleiding voor grappen werd, maar toen begonnen haar mondhoeken te trillen in wat het begin van een glimlach was. Jess deed er nog een schepje bovenop.

'De meeste mannen zien graag dat hun vrouw haar heeft, mam, geen kale knikker met tatoeages.' Haar moeder probeerde niet hardop te lachen, maar Jess was vastbesloten om haar toch zover te krijgen. Dat kostte een hoop meer energie dan eerder op de dag met oma.

'Papa was vast heel tevreden geweest met een rustige vrouw die de avonduren doorbrengt met lezen en tuinieren (de hobby's van Jess' moeder), maar jij moest zo nodig elke avond dronken en vloekend in de kroeg hangen, politieagenten in elkaar slaan en friet bij mensen in de brievenbus proppen. Ja, daar is geen enkel huwelijk tegen bestand.'

Jess' moeder lachte. Hardop! Bingo! dacht Jess triomfantelijk. De rest van de middag bleef ze haar moeder verzekeren dat ze de aantrekkelijkste was van alle veertig-plus vrouwen in Cornwall. Als Lawrence of Arabia haar was tegengekomen, had hij zijn levenslange celibaat onmiddellijk opgeheven en haar dringend gevraagd zijn vrouw te worden.

Als Thomas Hardy haar had gekend, zou hij haar zijn hart hebben aangeboden, met friet en sla. Als Shakespeare haar had gezien, had hij niet Hamlet, Prins van Denemarken geschreven, maar Madeleine, Prinses van Penzance.

Uiteindelijk liet haar moeder haar diepe zelfhaat voor wat die was en stemde erin toe een ijsje te eten terwijl ze de canna's bewonderden.

'Fijn dat je me zo hebt opgemonterd, lieverd,' zei ze terwijl ze aan haar Solero Exotic likte. 'Je bent de liefste dochter van de wereld.'

Jess was opgelucht, maar uitgeput. Die avond ging ze na het eten meteen naar bed, helemaal kapot.

Ik ga maar wat uurtjes wakker liggen en mezelf kwellen met de gedachte aan Fred en Flora, dacht ze. Ik heb het zo druk gehad met andermans ellende dat ik geen tijd kreeg om te zwelgen in mijn eigen verdriet.

Misschien moest ze de hoop opgeven in dit leven nog gelukkig te worden. Misschien moest ze al haar bezittingen weggeven en boeddhist worden.

Toen begon volstrekt onverwacht haar mobiel op het nachtkastje te piepen. Een sms van Fred! SHIIIIIT HELE DAG MOBIEL KWIJT GEWEEST. TERUGGEVONDEN IN SOK! KUN JE HET ME OOIT VERGEVEN?

Jess typte direct een antwoord. DACHT DAT JE HET TE DRUK HAD MET FLIRTEN MET FLORA EN ME WAS VERGETEN. Binnen enkele seconden kwam Freds antwoord: WAAAAT?! FLORA?!! WAAR IS DAT LEEGHOOFDJE DAN? HEB HAAR AL WEKEN NIET GEZIEN.

ECHT? antwoordde Jess. ZE IS OOK OP RIVERDENE — DACHT DAT ZE BIJ JOU WAS. Er volgde een korte maar afschuwelijke pauze. Toen kwam zijn antwoord. GELOOF ME, IK HEB HAAR NIET GEZIEN EN IK HEB GEEN MINUUT NIET AAN JOU GEDACHT, ZELFS NIET TIJDENS HET ETEN.

IDEM antwoordde Jess. WIE IS IDEM? vroeg Fred. EEN OF ANDERE GEILE STRANDBOY? IK WORD VERTEERD DOOR JALOEZIE, MEVROUW. KIJK ZELFS NIET NAAR EEN MANLIJK DIER, NOG GEEN KANARIEPIET, WANT ROUW ZAL MIJN DEEL ZIJN.

Op dat moment viel Fred plotseling weg. Toch voelde Jess zich gerustgesteld. Haar telefoon zoemde en er kwam nog een sms binnen – van haar vader, dit keer. MAMA ZEGT DAT JE OVERMORGEN HIER KOMT. IK KAN NIET WACHTEN! HEB NACHO'S IN HUIS GEHAALD. PUPPY LUKT NIET DIT KEER. WIL WEL MIJN ZEEMEEUW MET JE DELEN. GOED GENOEG?

KAN OOK NIET WACHTEN, antwoordde Jess. MAAR EEN ZEEMEEUW IS WAT SAAI. EEN PAPEGAAI MISSCHIEN? NIET ALS HUIS-

Jess voelde zich nu ontspannen genoeg om te gaan slapen in plaats van uren wakker te liggen en zichzelf te kwellen met vreselijke fantasieën over Fred en Flora op huwelijksreis op een onbewoond eiland. Het was niet echt het gelukkigste eind van de heerlijkste dag in haar leven, maar het was wel een stap in de goede richting.

'Ik wil vandaag wat tijd voor mezelf hebben,' kondigde oma de volgende dag aan het ontbijt aan, 'ik moet ergens over nadenken.' Ze zag er niet zorgelijk of tragisch uit, dus Jess' moeder ging er verder niet op in.

'Ik kreeg gisteravond een sms van papa,' zei Jess. 'Er stond dat we morgen naar hem toe gaan. Klopt dat?'

'Ja, ik heb gezegd dat hij ons morgen kan verwachten,' zei haar moeder. 'Ik ben van plan om vandaag naar het Eden Project te gaan. Heb je zin om mee te gaan, Jess? Het is een prachtig project met gigantische biobollen waarin tropische planten en zo groeien.' Haar moeders ogen kregen een waanzinnige glans.

'Nee, dank je,' zei Jess met afschuw, 'ik blijf wel in Penzance. Ik kom de dag wel door met winkels kijken. Misschien ga ik zelfs wel naar het museum,' voegde ze daar haastig aan toe, om haar plan wat verantwoorder te laten klinken. Haar moeder drong niet aan, ze was duidelijk van plan om snel weg te zijn.

Jess keek de eerste twee uur rond in kledingwinkels, schoenenwinkels en muziekwinkels. Toen slenterde ze wat verder de hoofdstraat in en vond een winkel waar ze ongeveer vijfhonderd verschillende geurkaarsen verkochten. Jess rook aan circa 267 ervan, tot haar neus moe werd, en ging toen weer naar buiten.

Bij de bushalte stond een bus, mensen stapten in. Plotseling zag ze St. Ives staan op het bordje. Daar woonde haar vader! Jess' hart sprong op. Ze wist dat haar moeder had beloofd dat ze morgen zouden komen, maar plotseling voelde ze een enorme, waanzinnige, onweerstaanbare drang: ze zou nu in de bus springen en hem verrassen!

# 25

Ze sprong in de bus. Het kaartje was niet duur, dus het kon nooit ver zijn. Ze reden Penzance uit, door weilanden en uiteindelijk langs een nogal spannend weggetje met diverse borden die aangaven dat het sprookjesachtige St. Ives op een steenworp afstand lag. Jess zag rechts de zee liggen, glinsterend onder een stolp van licht, vlak voordat de bus een steile straat in dook en eindelijk halt hield. Iedereen stapte uit, dus dat deed Jess ook maar.

'Is dit St. Ives?' vroeg ze een beetje opgelaten aan de chauffeur.

'Nou en of, meid!' antwoordde hij met een merkwaardig accent dat het midden hield tussen Texaans en visserslatijn.

Jess sprong uit de bus en keek om zich heen. Ze had geen idee waar het huis van haar vader was. Er stonden wat mensen in de rij om in te stappen, en ze pikte er een oudere mevrouw met een bril uit. 'Als je ooit een vreemde moet aanspreken,' zei haar moeder altijd, 'kies dan een vrouw uit.'

Jess had er dus altijd voor gezorgd dat ze de weg vroeg aan iemand die zoveel mogelijk op haar moeder leek. Stom eigenlijk, want haar moeder had geen enkel richtingsgevoel.

Goed, deze mevrouw zou dus heimelijk een massamoordenaar kunnen zijn. Misschien zou ze proberen Jess naar haar huis te lokken om haar te verwerken in een hartige taart. Maar

Jess zou haar bril grijpen en erop stampen zodra het op een kidnap zou gaan lijken. Trouwens, bedacht Jess, je kon moeilijk iemand kidnappen met een bus.

'Pardon,' zei ze. 'Kunt u me vertellen waar de Old Pilchard Loft is?'

De vrouw fronste haar wenkbrauwen en schudde haar hoofd. ''k Zou het je niet kunnen zeggen, kind,' zei ze. 'Ergens bij Daarginder, dunkt me.'

'En waar is Daarginder?' vroeg Jess.

'Aan de andere kant van de haven,' antwoordde de vrouw.

'En, eh, sorry, maar waar is de haven?' vroeg Jess.

'Gewoon de straat uit lopen, daar na sla je links af, vervolgens rechts, rechtdoor lopen, linksaf langs de kerk en dan kom je uit bij de reddingsbrigade,' antwoordde de vrouw. 'Daar loop je over de kade naar de andere kant, dat is Daarginder.'

'Dank u,' zei Jess. De vrouw wierp haar een vreemde blik toe, alsof ze zich héél even afvroeg hoe Jess' billen geroosterd met wat rozemarijn en knoflookpuree zouden smaken. Toen besloot ze blijkbaar dat ze vandaag te moe was voor een kidnap en stapte in de bus.

Jess rende de straat uit naar de hoek, deed wat de vrouw gezegd had en stond binnen een paar seconden bij de reddingsbrigade. De reddingssloep was uit de loods gehaald en stond glanzend oranje op de kade. Er klommen diverse mannen van de reddingsbrigade op de boot rond, die met stukken touw en gereedschappen zeevaartachtige dingen aan het doen waren.

De haven lag halfrond voor haar, omzoomd door oude, schots en scheve gebouwen. Het waren vooral winkeltjes en cafeetjes, die lagen te glanzen in de zon. Het was eb en overal lagen kleine bootjes op het zand van de haven. Over de kade renden kinderen en honden heen en weer. Oude mensen zaten met gesloten ogen op een bankje in de zon en jonge mensen aten pasteit-jes. Een pasteitje uit Cornwall! Jess' buik rommelde en ze ging een bakkerij binnen. Ze wilde niet uitgehongerd bij haar vader aankomen. Het was niet zo beleefd om plotseling, een dag te vroeg, op te duiken en meteen om eten te vragen.

Haar moeder had haar die ochtend tien pond gegeven, dus ze had genoeg geld om iets te eten te kopen. Ze koos een pasteitje met kaas en ui, nam er een cola bij en ging op een muurtje bij de haven zitten. Boven haar hoofd krijsten zee-meeuwen en sommige maakten een duikvlucht, terwijl ze met hun hebberige, lichte oogjes begerig naar haar pasteitje keken.

Jess had een bordje gezien waarop men werd verzocht de zeemeeuwen niet te voeren, dus ze verborg het pasteitje half onder haar jack en riep 'vlieg op' tegen de vogels. Daar zat ze dan, genietend van een eenpersoonspicknick in de zon. Uit een open raam klonk muziek. Er lachten wat mensen. St. Ives leek een fijne plek.

Ze stak de laatste hap in haar mond en besloot om op zoek te gaan naar het huis van haar vader.

'Pardon,' zei Jess tegen een willekeurig oud stel op een bank-je. 'Weet u misschien waar Pilchard Loft is?' Het echtpaar keek haar aan met tegen de zon bijna dichtgeknepen ogen, hun rim-pels als kustlijnen op een oude landkaart.

'Het spijt ons, kind,' zei de vrouw, 'we zijn hier op vakantie.'

'Is het een restaurant?' vroeg de man.

'Nee,' zei Jess, 'het is het huis van mijn vader.' De oude mensjes leken enigszins in de war gebracht door dit antwoord. Ze vonden het duidelijk een beetje vreemd dat Jess niet wist waar haar eigen vader woonde.

'Mijn vader en moeder zijn gescheiden,' zei Jess een beetje gegeneerd. 'Ik ga als verrassing bij hem langs en dit is de eerste keer dat ik hier ben.' Dit werd een beetje een rare situatie. Ze had alleen maar de weg willen vragen en nu stond ze haar halve levensverhaal te vertellen.

'Ach, kind toch,' zei de oude vrouw. 'Trek het je niet aan, lieverd, wij zijn ook gescheiden.' Nu was het Jess' beurt om verbaasd te zijn.

'Bent u gescheiden?' Ze zagen er niet erg gescheiden uit op die bank in de zon, lekker tegen elkaar aan als twee oude, zonnebadende katten.

'We zijn gescheiden van andere mensen,' ging de vrouw door. 'Jim is gescheiden van Joan en ik van Harry.' Deze conversatie werd steeds vreemder, maar had ook wel iets geruststellends.

'Tegenwoordig zijn een heleboel mensen gescheiden,' zei Jess. 'Ik ben zelfs van plan om, als ik groot ben, direct te scheiden zonder zelfs maar te trouwen.' Ze vond het wel een goede grap, maar het oude echtpaar keek verbijsterd. Dit stand-upcomedygedoe was moeilijker dan ze gedacht had.

'Waarom probeer je het niet bij de vvv,' vroeg de man. 'Die weten meestal wel waar alles is.'

'Goed idee,' zei Jess. 'Waar is de vvv?'

Uiteindelijk, na een hoop gedoe, vond Jess de vvv waar een vriendelijke mevrouw haar hielp met een plattegrond waarop ze de straat waar Jess' vader woonde, groen kleurde. Het was een straat met kinderkopjes, heel smal en oud, en tussen de huizen door kon je glimpen van de verblindende zee opvangen. De stoepjes voor de huizen stonden vol met bloemen en hier en daar bewoog de zeebries de glanzende bladeren van een palmboom.

The Old Pilchard Loft; plotseling zag ze het handgeschilderde bordje.

Haar hart begon als een bezetene te bonken. Ze had haar vader al maanden niet gezien – de laatste keer met Pasen, toen hij naar de stad was gekomen om haar te bezoeken. Het huis leek een beetje op een klein pakhuis of een schuur. Naast de voordeur zat een scheepsbel. Je moest aan een touw trekken om er geluid uit te krijgen. Jess aarzelde even omdat het haar gênant leek om zo veel herrie te maken.

Er zat een grote koperen klopper in de vorm van een ananas op de deur, maar die maakte natuurlijk ook een enorme herrie. Daarom klopte ze met haar knokkels op de deur. Ze wachtte even. Geen antwoord. Ze klopte nog eens, zo hard dat het pijn deed. Geen antwoord. En als hij nou niet thuis was? De moed zakte Jess in de schoenen. Dit liep allemaal vreselijk fout.

Nou, dan toch de bel maar. Misschien had hij haar niet gehoord. Jess strekte zich uit naar de bel en trok aan het koord. Er klonk een oorverdovend geklingel door de straat. Jess kromp in elkaar en bloosde. Toen bewoog er ergens iemand, achter in het huis, en een paar ogenblikken later ging er boven haar hoofd een raam open en stak haar vader zijn hoofd naar buiten.

# 26

'Jess!' zei hij verbijsterd. Hij bloosde. Wat was die kluns toch sociaal onaangepast. Maar hij was wel de liefste vader van de hele wereld, dus Jess was bereid hem alles te vergeven. 'Ik had je pas morgen verwacht!' stamelde hij. 'Wacht even, ik kom naar beneden.'

Hij verdween en het raam ging dicht. Jess wachtte bij de voordeur. Ze keek links en rechts de straat in om te zien of iemand getuige was geweest van hun ontroerende weerzien, maar gelukkig was er niemand in de buurt. Dus dit was nu het huis van haar vader. Waanzinnig gaaf. Ze wilde het dolgraag van binnen zien.

Een paar minuten later ging de voordeur open en kwam haar vader naar buiten, zijn grappige melkboerenhondenhaar in de war. Jess' hart stroomde over van liefde.

'Pap!' Ze begroef zichzelf in zijn armen. 'Dikke knuffel!' mompelde ze in zijn trui. Dat zei ze altijd toen ze nog klein was. Haar vader voelde warm en veilig. Dit was weer eens een van de beste momenten van haar leven.

'Zeg,' zei haar vader toen de knuffel voorbij was. 'Je ziet er fantastisch uit – bijna menselijk. Waar is je moeder?' Hij keek de straat in alsof hij verwachtte dat ze zich ergens op haar hurken achter een tuinmuurtje verborgen hield.

'O, mama weet niet dat ik hier ben,' zei Jess. 'Ik heb in Penzance de bus genomen. We logeren in Penzance. Ze zei dat we morgen naar jou zouden gaan, maar ik kon niet wachten!' Ze keek stralend naar haar vader op die nerveus teruglachte.

'O, eh, dat is leuk,' zei hij, met een klein spoortje onzekerheid in zijn stem. 'Maar we moeten haar toch maar even bellen, om te zeggen dat alles in orde is met jou.'

'Ja, laten we naar binnen gaan!' zei Jess terwijl ze langs haar vader het huis in gluurde. Ze zag een vaas met bloemen op een tafeltje in de hal. 'Ik wil dolgraag je huis zien!'

Gek genoeg trok haar vader plotseling bleek weg. Hij trok de deur achter zich dicht en leek even volledig in paniek.

'Nee, moet je horen,' zei hij. 'Ik was net op weg om wat boodschappen te doen. En ik wilde fish & chips gaan halen voor de lunch. Er zit een heel goede snackbar aan het eind van de straat. Kom op!'

'Maar pap, mag ik niet eerst even in je huis rondkijken? Ik heb trouwens net een nogal machtig pasteitje op!' zei Jess.

'Straks,' zei haar vader. Hij legde zijn arm om haar schouders en liep vastbesloten met haar de straat in. 'Jij hebt misschien geen honger, maar ik wel! En we gaan je moeder bellen.'

Terwijl ze de straat uit liepen haalde haar vader zijn mobiel te voorschijn en belde het nummer van Jess' moeder.

'Mad?' Hij noemde haar nog steeds Mad, een afkorting van Madeleine, maar wel een heel toepasselijke. 'Zeg, moet je horen: zojuist stond onze impulsieve dochter bij me op de stoep. Nee hoor, dat niet... Het gaat prima. Geen probleem... Goed zo. Oké. Ja, misschien wel, als het juiste moment zich voordoet. Doei dan.'

'Wat bedoelde je met: als het juiste moment zich voordoet?' vroeg Jess.

'Dat is geheim,' zei haar vader, 'wacht maar af.'

'Vond mama het goed dat ik hierheen was gegaan?' vroeg Jess.

'Nou,' haar vader grijnsde, 'ze was eerst een beetje nijdig, maar ze kalmeerde snel. Waarschijnlijk was ze omringd door prachtige planten.'

'Mam zou haar baan in de bibliotheek moeten opzeggen en in een tuincentrum gaan werken,' zei Jess.

Ze namen een zijstraatje in de richting van de haven en kochten friet. Haar vader begon een beetje te ontspannen.

Toch was Jess op haar hoede. Er was iets raars gebeurd, daar bij de voordeur. Alsof er in het huis iets – of iemand – was waar hij zich voor schaamde. Had het soms iets te maken met dat geheim?

'Kom, dan gaan we naar Porthmeor,' zei haar vader terwijl hij de frieten onder zijn trui schoof om ze warm te houden. 'Je vindt het daar vast leuk, het is een surfstrand.'

'Pap, idioot!' zei Jess. 'Straks stinkt je trui naar friet. En je lijkt bovendien wel zwanger, wat voor een man nogal vreemd is.' Terwijl ze dat zei, schoot er een vreselijk idee door haar hoofd. Misschien verwachtte haar vader inderdaad een baby! Van een andere vrouw! Of, erger nog, misschien hád hij er al een.

Jess liep naast haar vader. Hij had het over een kunstgalerie of zo, maar Jess luisterde niet. Haar hersens werkten als razenden. Wie was daar bij hem thuis? Ze kreeg een afschuwelijk visioen van een vrouw die haar moeders plaats had ingenomen. Die was natuurlijk jonger, geen man zou zijn jonge vrouw inruilen voor een middelbaar exemplaar. Haar vader mocht dan hopeloos onhandig zijn, Jess zag hem er niet voor aan dat hij achter een oud besje aan zou gaan.

Ze was vast mooi, met blond, krullend haar en een prachtig, slank figuur, ondanks haar recente zwangerschap. En stel je voor dat ze een tweeling hadden! Dan lagen er twee baby's te krijsen in Old Pilchard Loft. Hoewel. Ze had geen gekrijs gehoord toen ze aanklopte. Misschien was de nieuwe vrouw van haar vader niet thuis. Was ze naar het centrum voor geboorteplanning. Hopelijk.

Ze sloegen een hoek om en plotseling lag er een weids strand voor hen. Er sloegen enorme golven stuk op het zand en mensen in wetsuits deden acrobatische kunsten op hun surfboards om vervolgens heerlijk in de bruisende branding te duikelen.

'Hier ga ik mijn friet opeten,' zei haar vader terwijl hij op het zand ging zitten.

Hij haalde de friet te voorschijn, deed het zakje open en bood Jess ook wat aan.

'Sorry, pap, ik kan echt niet meer,' zuchtte Jess. Ze voelde zich een beetje misselijk, maar dat kwam niet door dat pasteitje. Ze was ziek van angst dat haar vader op de een of andere manier een compleet nieuw gezin haar leven had binnengesmokkeld.

En dat nieuwe gezin was natuurlijk veel leuker. Vooral baby's schenen schattig te zijn, ondanks hun gepoep, gekwijl, geboer en gejengel. Wat was het leven toch oneerlijk. Je zou ze eens moeten horen als zij zich zo ging gedragen.

Haar vader at zwijgend zijn friet en keek naar de surfers. Jess zag plotseling dat hij een ring aan zijn vinger had, die ze niet eerder had gezien. Hij was glad en van zilver, en zat om zijn ringvinger. Was dit de ring die hij en zijn nieuwe vrouw droegen? Zat hij zwijgend naar de golven te staren omdat hij het haar niet durfde te vertellen?

Nou, dacht Jess, dan moet ik mijn hopeloze ouders zoals ge-woonlijk maar dwingen tot een of andere vorm van communi-catie.

'Wat fijn om je weer te zien, pap,' grijnsde ze.

'Ook fijn om jou weer te zien, rare meid,' zei haar vader. Hij sloeg zijn arm om haar heen en hield haar stevig vast.

'Ik heb vriendinnen die hun vader nooit zien,' ging Jess door. 'Eleanor, bijvoorbeeld.' Eleanor was een niet-bestaande vrien-din. Jess had haar naam van Lady Eleanor van Berry Pomeroy Castle. 'Haar vader is verhuisd naar Los Angeles. Hij is met een veel jongere vrouw hertrouwd en heeft met haar twee kin-deren gekregen. Carlo en, en, van die andere ben ik de naam vergeten. Bonzo.'

'Klinkt meer als een hond,' zei haar vader terwijl hij de laat-ste frietjes opat. Oeps, Jess moest oppassen dat ze haar perso-nages niet al te excentriek en kleurrijk maakte.

'Ja, eh, in elk geval. Elly ziet haar vader dus haast nooit om-dat hij zo ver weg woont.'

'Verdraaid!' zei haar vader. 'Ik had ook naar Californië moe-ten ontsnappen. Nooit aan gedacht.' Jess kreeg het gevoel dat haar vader niet in de stemming was voor een serieus gesprek over de tweede leg, maar ze ging dapper door.

'Nou, Elly gaat er eens per jaar heen,' zei Jess, 'en ze kan het heel goed vinden met haar stiefmoeder. Ze is ook dol op de kin-deren.'

'Hé, kijk, een aalscholver!' Haar vader wees naar een grote, zwarte vogel met een lange nek die in de verte op een rots zat. 'Die spreiden hun vleugels uit om ze te laten drogen in de zon.' Jess zuchtte. Haar vader was gek op vogels. Misschien lag er een zwanennest in zijn zitkamer en zou hij haar voorstellen aan haar stiefzwaantjes.

'Nu even geen vogels alsjeblieft, pap! Jij en mama zijn altijd bezig om me vol te proppen met kennis. Laten we nou naar je huis teruggaan, ik wil het dolgraag zien. En ik moet ook even bellen, mijn mobiel is leeg. Dat vind je toch niet erg, hè? Alsjeblieft, pap?' Natuurlijk was Jess' mobiel niet leeg. Maar ze wilde haar vader dwingen om terug te gaan. Waarom zouden ze hier nog naar surfers of vogels blijven kijken?

Haar vader keek weer een beetje ongerust. Hij krabde op zijn hoofd, keek op zijn horloge, streek over zijn linkerwang, trok zijn kraag op, veegde het zand van zijn knieën en zei toen: 'Oké! Maar eerst nog een paar golven zien.'

Hij probeerde iets te verbergen.

## 27

Ze zou het nog één keer proberen, bedacht Jess. Hij zou zich vast enorm opgelucht voelen als ze er gewoon open over konden praten.

'Een heleboel kinderen in mijn klas hebben gescheiden ouders,' zei ze.

'O. Nou, blij dat we zo trendy zijn,' zei haar vader die weer grappen kon maken. Maar er zat wel een nerveuze ondertoon in zijn luchthartigheid.

'Er zitten heel wat voordelen aan,' ging Jess door, 'vooral als de ouders hertrouwen. Of een nieuwe relatie krijgen. Dan krijg je bijvoorbeeld tweemaal zoveel kerstcadeaus. En je hebt twee huizen. Dus kinderen vinden het wel prima als hun ouders uit elkaar gaan, zolang ze maar geen ruzie maken. En als hun ouders naderhand iets met iemand anders krijgen, maakt dat de zaken alleen maar gemakkelijker.'

Haar vader keek haar even vorsend aan. Jess zag de wolken en de zee weerspiegeld in zijn ogen, maar daarachter gloeide ook iets van begrip.

'Jess, probeer je me iets te vertellen?'

'Eh, eigenlijk wel,' gaf Jess toe. Ze wachtte even. Haar vader keek bedachtzaam. Nu zou hij eindelijk alles opbiechten. Hij zou toegeven dat er een prachtig blond stuk thuis zat, met mogelijk een kind of twee.

'Goh, dat vind ik erg leuk voor haar,' zei haar vader. 'Wie is het?'

Jess' gedachten stonden plotseling stil, alsof ze vastzaten in een braamstruik.

'Wat?' stotterde ze. 'Over wie heb je het in 's hemelsnaam?'

'Je probeert me toch te vertellen dat mama een man heeft leren kennen?'

'Nee, gek! Ik probeerde erachter te komen of jij een vrouw hebt leren kennen!'

Haar vader keek even onzeker, maar begon toen te lachen.

'Rustig maar, idiote inktvis,' zei hij terwijl hij haar haar door de war deed. 'Er is geen vrouw in mijn leven. Ik blijf wachten op Madonna.'

Ze liepen hand in hand terug naar Pilchard Loft. Jess was opgelucht dat er geen onbekende en mogelijk vijandige Miss St. Ives op hen zat te wachten, of, erger nog, een valse baby die haar plaats in haar vaders hart had ingenomen.

'Denk je dat mama ooit een ander tegen zal komen?' vroeg haar vader.

Dat was een interessante vraag. Bemoedigend zelfs. Misschien was dit het begin van een verzoening.

'Ik denk het niet,' zei Jess. 'Ik begin te geloven dat mama nooit over jou heen is gekomen.' Ze gluurde naar haar vaders gezicht. Hij zag er plotseling uitgeput uit.

'Zeg dat alsjeblieft niet,' zei hij, 'dan voel ik me zo schuldig.'

'Was jij dan degene die wilde scheiden?' vroeg Jess.

'Ik laat het liever aan je moeder over om je te vertellen hoe het is gebeurd.'

'Maar ik wil jouw kant van het verhaal horen.' Haar vader glimlachte dunnetjes en onzeker.

'Ik beloof je dat ik je mijn kant ook zal vertellen. Maar niet nu. Ik heb wat tijd nodig om wat goede redenen te verzinnen.'

'Oké,' grijnsde Jess. 'Ik verheug me erop je huis te zien. Kan ik even douchen of een bad nemen?'

'Tuurlijk,' antwoordde haar vader.

Ze stonden bij de voordeur en haar vader pakte zijn sleutels. Jess zag zijn hand trillen. Was dat altijd al zo? Ze wist het niet zeker.

Haar vader draaide de sleutel om, duwde de deur open en liet Jess beleefd voorgaan. Ze stapte naar binnen. Plotseling hoorde ze voetstappen in een kamer. O, nee hè! Er was inderdaad iemand. Ze zette zich schrap. Toen verscheen er iemand aan het eind van de gang. Gelukkig, het was een man. Hij was klein en gespierd en had krullend, zwart haar en blauwe ogen.

'Hé, Phil!' zei haar vader. 'Ik dacht dat je ergens heen moest. Dit is mijn dochter, Jess. Jess, dit is Phil. Die logeert hier een poosje. Zijn vriendin heeft hem eruit gezet.'

Phil stapte op Jess af, grijnsde en gaf haar een hand. 'Hé, Jess,' zei hij. 'Ik heb al veel over je gehoord.' Zijn hand was warm en hij lachte van oor tot oor.

'Jammer dat het uit is met je vriendin,' zei Jess verlegen.

'O, ik vind het niet erg!' zei Phil. 'Het is eigenlijk prima zo, want ik ben er later achtergekomen dat ze het met iemand anders hield. Een bodybuilder uit Hayle.'

'Laat de details maar zitten,' zei Jess' vader zenuwachtig. Er viel een ongemakkelijke stilte die ongeveer een halve minuut duurde.

'Nou,' zei Phil, 'dan ga ik maar boodschappen doen. Ik zal eens kijken of ik wat lekkere dingetjes kan vinden.' Hij gaf Jess een speciale glimlach. Jess besloot dat ze hem erg leuk vond. Ze had gehoopt dat er niemand anders bij haar vader thuis zou zijn, maar deze Phil was een stuk beter dan tragische eenzaamheid.

'Goed idee,' zei de vader van Jess. 'Kom je in mijn atelier kijken, Jess?' Hij nam Jess mee naar boven, naar een kamer met een hoog plafond en dakramen. Overal stonden doeken en op een ezel stond een schilderij. De laatste keer dat Jess haar vaders schilderijen had gezien, een paar jaar geleden, waren het vooral landschappen en zeegezichten geweest, in blauw, grijs en wit, met hier en daar een vogel of een vis.

Nu kon Jess haar ogen nauwelijks geloven. De schilderijen waren explosies van kleuren: sissend vuurwerk, harmonie-orkesten, clowns, zonnebloemen, edelstenen. Ook vogels, maar fantasievogels: roze en paarse papegaaien die hemelsblauwe eieren legden. En vissen waren er ook nog steeds, maar nu waren ze niet langer bleek, grijs, saai en doods. Het waren enorme, bizarre zeewezens geworden met flitsende kleuren en voelsprieten en grote, lachende lipstickmonden.

'Jeetje!' zei Jess. 'Jeetje! Wat gaaf!'

'Mijn stijl is nogal veranderd sinds je mijn werk voor het laatst gezien hebt,' gaf haar vader toe.

'Veranderd?' zei Jess. 'Dit is een doorbraak, pap. Wat is er met je gebeurd?'

'De verhuizing hiernaartoe heeft een enorme impact op me gehad,' zei haar vader. 'Ik voelde me op de een of andere manier, eh... bevrijd.'

'Dus toen je bij mij en mama woonde, was je niet vrij?' vroeg Jess. Plotseling voelde ze een enorme somberheid en afgunst.

'Nee, het lag anders,' zei haar vader. 'Het was meer zo dat je moeder en ik, eh, tot verschillende diersoorten behoorden. Alsof ik een mus was en zij, eh, een schildpad of zo.'

'Je kiest de verkeerde diersoorten!' zei Jess. 'Jij bent een reiger en mama is een egel.' Die benadering maakte het probleem eerder vertederend dan dieptriest.

'Hoe dan ook,' zei haar vader. 'Misschien is het een schrale troost, maar ik mis je vreselijk en ik hoop dat je ook eens bij mij komt logeren als je wat ouder bent. Maar alleen als je rijk en beroemd bent, natuurlijk. Ik wil niet dood gezien worden met een dochter die niet in de bladen staat.'

'Ik kom hier natuurlijk permanent wonen, idioot!' lachte Jess. Dat was een grapje, een droom. Tenslotte woonde Fred niet hier, maar tweehonderdvijftig kilometer verder naar het oosten. Maar misschien, ooit...

'Hoe dan ook...' Haar vader leek even in gedachten verzonken. 'Wilde jij niet even telefoneren?'

'Ja graag!' zei Jess. Ze wilde Fred bellen via haar vaders vaste telefoon. Maar zou ze haar vader ook over Fred vertellen? Ze kon maar beter voorzichtig zijn. Haar vader leek soms een rare hansworst, maar ze had het nog nooit met hem over vriendjes gehad en ze wist niet hoe hij zou reageren. 'Ik wil even naar mijn vriendin Flora bellen,' zei ze. 'En naar Frederika, als het mag.'

'Geen probleem,' zei haar vader. Over Flora heb ik je wel eens gehoord, maar wie is Frederika?'

'O, een ander meisje,' zei Jess. 'Ik ken haar al sinds de peuterspeelzaal, maar we zijn pas sinds kort vriendinnen. Flora is enorm jaloers. Maar wat kan het schelen? Frederika is hartstikke leuk.' Nu hoefde ze alleen nog maar te doen of Fred een meisje was, als ze hem aan de telefoon kreeg.

Het leven was er de laatste tijd niet eenvoudiger op geworden.

# 28

'Hé, Frederika!' zei Jess.

'Hé, juffrouw Jordan! Hoe is het met u?'

'Prima, ik zit in St. Ives bij mijn vader. Mijn moeder is vandaag naar het Eden Project en mijn oma wilde een dagje alleen zijn. Ik liep wat rond in Penzance en toen zag ik plotseling een bus met St. Ives erop. En die heb ik toen maar genomen.'

'Wat maak je toch een hoop mee! Vergeleken met jou stel ik werkelijk niets voor.'

'Hoe is het op Riverdene?'

'Ach, je kent dat wel – zestigduizend mensen in de rij voor drie wc's.'

'Ik hoor helemaal geen muziek op de achtergrond.'

'O, we zitten tussen twee optredens in, geloof ik.' Fred klonk een beetje vaag.

'En? Zit Flora je al op de hielen?'

'Ik heb dat mens nog nergens gezien. Op mijn erewoord. Als ik lieg, mag ik op slag veranderen in het bankstel van een dikke familie die verslaafd is aan tv kijken en chili con carne.' Jess lachte. 'Maar moet je horen, Jordan. Kun je me over een half uurtje terugbellen? Ik ben bijna door mijn belte...'

'Waarom kun je nu niets zeggen dan?' vroeg Jess wantrouwig.

'Er... wat... is...' Fred viel plotseling weg.

'Oké, ik bel je straks!' schreeuwde Jess.

Haar vader kwam de keuken uit met een dienblad met tacochips, tacodip en twee cola met ijs.

'Hé!' zei Jess. 'Drink je tegenwoordig cola? Gevaarlijk hoor! Volgens mama gaan je tanden daarvan rotten.'

'Och, je moeder was altijd al een beetje een gezondheidsfreak.' Jess' vader zette het blad op tafel. 'Wij allebei, eigenlijk. Onze gezamenlijke liefde voor pompoenzaden en kikkererwten heeft ons bij elkaar gebracht. We hebben elkaar gevonden boven een houmousdipje.'

'En nu ben je dus afgezakt tot junk food?' vroeg Jess. Ze pakte de eerste van – hopelijk – talloze tacoguacamole-chips.

'Het gaat bij mij een beetje in golven,' zei haar vader. 'De ene week doe ik een sla-en-fruitdieet en de week daarop stop ik me vol met een boerenerf vol vlees. Hoe was het met Frederika? Vertel eens wat meer over haar?'

Jess verslikte zich haast in de guacamole.

'Prima,' zei ze. 'Ze zit momenteel op Riverdene. Net als Flora, trouwens. Ik wilde er ook graag heen maar het mocht niet van mama.'

'En in plaats daarvan moest je naar je saaie vader. Erg zeg! Ik voel me vreselijk schuldig.'

'Moet je horen, eerbiedwaardige voorvader!' zei Jess. 'Ik wilde je zo graag zien dat ik een hele dag eerder ben gekomen.' Haar vader glimlachte zuur. 'Als het aan mij had gelegen was ik hier vorige week al gekomen, pap. Nee, vorige maand. Vorig jaar!'

'Vorig jaar hebben we elkaar toch gezien?' zei haar vader. 'Vier keer om precies te zijn.'

'Ja, maar niet bij jou thuis,' zei Jess. Ze keek om zich heen in de ruime, witte kamer, en wierp bewonderende blikken op de blauwe bank, de blauwe vazen en het licht dat door de dakramen de ruimte in stroomde. 'Het is hier gaaf! Op een dag kom ik hier echt wonen. En kan ik hier vannacht blijven slapen, pap? Alsjeblieft? Ik vind het niet erg om op de bank te moeten.'

'Ik vind het prima,' zei haar vader. 'Maar je moeder moet het ook goed vinden. Phil kan trouwens wel op de bank slapen. Dan krijg jij de logeerkamer. Ik wil niet dat mijn heerlijke dochter iets te kort komt.'

'Kom, dan bellen we mama!'

De vader van Jess aarzelde even, maar pakte toen de telefoon en koos het nummer van haar moeder.

'Hoi, Madeleine,' zei hij met een vreemde, ongemakkelijke stem. 'Nog een keer met Tim. Die dochter van ons wil hier in St. Ives blijven slapen. Is dat goed? Ik wil jouw plannen niet doorkruisen.'

Jess keek toe terwijl haar vader luisterde naar het antwoord van haar moeder. Een behoorlijk lang antwoord, als gewoonlijk. Jess' vader trok wat gezichten, knipoogde naar Jess, maakte wat beleefde geluiden en hing uiteindelijk op.

'Het mag,' zei hij. 'Maar ze zei dat ze wel problemen krijgt met Bernie, wie dat ook moge zijn.'

'Dat is die vent van de bed & breakfast. Maar mama windt hem wel om haar pink.'

'Prima! Nou, dan gaan we maar eens op zoek naar een logeerkamer. Ik moet er nog ergens een hebben, al heb ik geen idee meer waar.'

Ze gingen naar boven, via een witgeverfde gang naar de achterkant van het huis, naar een kamertje met een futon en een witgeverfde ladekast. Je had er een prachtig uitzicht over de daken en in de verte, rechts, tussen twee huizen, was nog net een glinsterend stukje zee zichtbaar.

'Wat mooi!' riep Jess uit. 'Ik wil bij nader inzien nu direct bij je komen wonen. Ik zal wel boodschappen doen en koken, pap! Nee, wacht, jíj doet de boodschappen en kookt. We hoeven ook weer niet te overdrijven, tenslotte. Ik heb het veel te druk met professioneel surfer worden.'

'Als je echt een surfer wilt worden,' zei haar vader, 'vrees ik dat je geregeld wél zult drijven.'

'Ik vind het hier gaaf!' zei Jess. 'Zon, golven, kunst, fish & chips – wat heeft een mens nog meer nodig in het leven?'

'Over kunst gesproken, laten we teruggaan naar het atelier,' zei haar vader. 'Ik wil iets doen.' Ze liepen terug naar het atelier. 'Ga daar eens zitten!' Haar vader wees naar een oude, met sjaals bedekte sofa. Jess deed wat hij vroeg.

'In een comfortabele houding, want ik ga je schilderen en je mag je dus minstens een uur niet meer bewegen,' zei haar vader.

'O, gaaf!' zei Jess. 'Ga je een portret van me maken? Dat is vet cool. Op school worden ze allemaal gek van afgunst als ik dat vertel.'

'Wacht eerst maar eens af of het een beetje lijkt,' waarschuwde haar vader. 'Misschien wordt het wel een chimpansee.'

'Als het echt lijkt, wordt het inderdaad een chimpansee!' lachte Jess. 'Weet je wat! Ik probeer wel op Mona Lisa te lijken. Die is cool. Zeg je het wel even als mijn mysterieuze glimlach een beetje té wordt?'

Jess kruiste haar armen en probeerde renaissancistische charme uit te stralen. Haar vader werd stil toen hij begon te schilderen. Soms zeiden ze iets, soms zwegen ze. Als ze stil waren, kon Jess in de verte het geluid van de zee horen en het gekrijs van de zeemeeuwen. Het was allemaal heerlijk, maar zelfs op de toppen van haar geluk vergat Jess niet dat ze Fred nog moest bellen, zodra de gelegenheid zich voordeed.

In het begin leek poseren nog gemakkelijk, maar het werd langzamerhand steeds moeilijker.

'Pap,' zei Jess uiteindelijk, 'ik hou dit geen minuut meer vol. Mijn rug breekt haast in tweeën en mijn hoofd rolt zo meteen onder die stoel.'

'Oké, ontspan je maar even!' antwoordde haar vader en Jess viel opzij met een hysterische kreet van opluchting, geeuwde en rekte zich uit als een kat. Toen sprong ze op en rende naar de ezel.

Haar vader had iets prachtigs gemaakt: het was alleen nog maar een schets, maar op de achtergrond waren al zee en rotsen te zien, een beetje als op de achtergrond van de Mona Lisa. En hoewel hij Jess' gezicht nog in detail had getekend, had hij haar toch een beetje op Mona Lisa laten lijken, terwijl ze tegelijkertijd zichzelf was gebleven. 'Dat ben ik!' riep ze. 'Wat knap, pap!'

'Ja, hè,' zei haar vader. 'Ik vind je hooghartige en misprijzende blik wel goed. Je bent net je moeder.'

'Maar ik lijk toch ook op jou?' zei Jess.

'Ik mag hopen van niet, arme ziel! Je hebt het al moeilijk genoeg,' zei haar vader terwijl hij glimlachend zijn hoofd schudde en zijn kwasten wegborg.

'Ik lijk echt op jou, pap!' hield Jess aan. 'Van binnen!' Ze sloeg haar armen om haar vader heen en gaf hem een dikke knuffel. 'Maar ik ben helaas wel gedwongen je naar knuffelcursus te sturen,' voegde ze eraan toe. 'Het is niet beleefd om door te gaan met opruimen als iemand probeert je te omhelzen.'

'Sorry, rare druif,' zei haar vader. Toen gooide hij zijn kwasten aan de kant en pakte haar stevig vast.

# 29

Toen klonk er plotseling een vreemd, zoemend geluid.

'Wat is dat in 's hemelsnaam?' vroeg Jess' vader. Hij wierp een ongeruste blik om zich heen. 'Het klonk als een horzel.'

'O, dat is mijn mobiel!' zie Jess. Ze haalde hem uit haar zak en drukte op 'select'.

'Ik dacht dat je zei dat hij leeg was,' zei haar vader.

'Ja, raar hè?' zei Jess. 'Ik heb hem pas en dat ding blijft me verbazen. Sorry, ik moet even opnemen!'

Ze rende naar het andere eind van het atelier. Haar vader glimlachte, wees naar de deur en maakte een gebaar of hij een kopje thee dronk: even thee zetten. Hij ging naar beneden.

'Hé,' zei Fred. 'Wees gegroet, ik ben het, de Engel des Heren. Nou ja, in elk geval een soort discountversie. De echte zijn tegenwoordig niet meer te krijgen.'

'O, Frederika!' zei Jess. Haar vader mocht dan buiten gehoorsafstand zijn, ze vond het wel leuk om Fred zo te noemen.

'Waarom heet ik tegenwoordig Frederika?' vroeg Fred.

'Omdat ik tegen mijn vader heb gezegd dat jij mijn beste vriendin bent,' zei Jess voorzichtig, voor het geval haar vader haar toch kon horen.

'O, nee hè,' zei Fred. 'Waarom?'

'Kleine poesjes? O, wat lief. Ik ben jaloers op je!' zei Jess, ervan overtuigd dat haar vader meeluisterde.

'Heb je hem dan nog niet van mijn bestaan verteld? Van mijn – toegegeven – verwerpelijke mannelijke verschijningsvorm? Je moeder weet ook nog van niets. Schaam je je soms voor me?'

'Wat? Nog meer nieuwe schoenen? Jij houdt in je eentje de economie van Engeland draaiende, Frederika! Pas maar op dat je er niet mee op je poesjes gaat staan, daar kunnen die schoenen niet tegen!'

'Genoeg onzin,' zei Fred. 'Luister, ik heb een taak voor je, die je onverwijld moet uitvoeren opdat het Koninkrijk van Fred gered worde van ondergang en verval.'

'Wat dan?'

'Kun je je nog herinneren dat je me ooit beloofd had een verjaardagscadeautje voor mijn moeder te kopen en dat je daar toen om de een of andere reden niet toe bent gekomen?'

'Je had beloofd daar nooit meer over te beginnen! En ik had trouwens een goed excuus: het huis stond blank.'

'Ja ja, dat zei je toen, ja... Maar goed. Luister. Mijn moeder kent St. Ives en er lag een bepaald soort broche in een winkel daar, die ze graag wil hebben. Ik vroeg me af of je er misschien heen wilt gaan om te zien of ze die nog hebben.'

'Natuurlijk,' zei Jess. 'Waar is het?'

'Dat is nogal lastig uit te leggen, maar als je het dorp in loopt kan ik je de weg wel wijzen via je mobiel. Ze heeft me een oude kaart van St. Ives gegeven. Ik speel wel even voor navigatiesysteem.'

'Dat is goed. Ik moet het alleen even tegen mijn vader zeggen. Ik bel je zo terug,' zei Jess. Ze ging naar beneden waar haar vader aan de keukentafel thee zat te drinken.

'Wat fijn toch dat je een dag eerder bent gekomen,' zei hij. Jess ging achter zijn stoel staan en sloeg haar armen om zijn nek.

'Dat vind ik ook,' zei ze. 'Maar nu moet ik even een paar minuutjes weg. Frederika wil dat ik iets voor haar moeder koop in een winkel hier.'

'Dat is goed,' zei haar vader. 'Het is toch tijd voor mijn bejaardendutje. Heb je geld?' Hij haalde zijn portefeuille te voorschijn en gaf haar een briefje van twintig pond.

'Jeetje! Bedankt, pap!' riep Jess uit, verrast door deze ongebruikelijke hoeveelheid geld.

'Is het te veel?' vroeg haar vader. Hij was volstrekt achterlijk als het op opvoeden aankwam.

'Helemaal niet!' zei Jess terwijl ze listig richting deur schuifelde. 'Gaaf juist. Precies wat ik altijd al wilde! Tot straks. Slaap lekker!'

'Ik leg de sleutel wel onder de aardewerken pad bij de voordeur!' zei haar vader alsof dat de normaalste plek van de wereld was voor een sleutel. Zo'n primitieve regeling zou in de stad binnen twee minuten desastreuze gevolgen hebben, maar in het betoverende St. Ives was alles mogelijk.

Buiten belde ze Fred terug.

'Dat duurde een eeuwigheid,' zei Fred. 'Nou, hoe heet de straat waar je nu bent?' Jess keek om zich heen.

'Wacht even.' Ze rende het smalle straatje waar haar vader woonde uit en kwam uit bij een iets bredere weg. 'Dit is de Westelijke Achterweg.'

'Heel goed,' zei Fred. 'Dan moet je nu in noordelijke richting lopen.'

'Waar ligt het noorden?' vroeg Jess.

'Jeetje, mens! Kom jij nou uit het land van de grote ontdekkingsreizigers? Heb je de zon in je ogen?'

'Nee,' zei Jess. 'Die staat min of meer links van me.'

'Nou, dan klopt het toch, muts?' zei Fred. 'Als je bij Bunker's

Hill komt, aan je linkerhand, moet je afslaan.'

'Oké, daar ben ik nu,' zei Jess en ze liep omzichtig een steil, nauw laantje in met aan weerszijden oude huizen die vol hingen met plantenbakken. 'Het is hier niet normaal pittoresk.'

'Je moet uitkomen bij het oude postkantoor,' zei Fred.

Jess was blij met de twintig pond van haar vader, nu kon ze een heel mooie broche kopen voor Freds moeder. Even later stond ze bij de haven. Links was inderdaad een postkantoor.

'Nu linksaf. Kijk naar rechts en zeg me wat je ziet,' zei Fred. Jess keek. 'Op de hoek.'

'Een soort galerie, geloof ik,' zei Jess. 'Ik weet niet of die broches verkoopt. Het zijn vooral schilderijen en kaarten en zo.'

'Dan ben je er nog niet,' zei Fred. 'Kijk eens verder. De hoek om, aan de andere kant.'

'Hoe bedoel je, verder?' vroeg Jess. 'Verderop is alleen nog de haven...' Jess sloeg de hoek om. En toen.... Ze kon haar ogen niet geloven.

'Whaaaaa!!'

Daar stond Fred! Midden in St. Ives! Hij leunde tegen een balustrade met een grijns van oor tot oor en zijn mobiel nog aan zijn oor. De golven in de haven achter hem dansten en glinsterden.

'Fred!' schreeuwde Jess zo hard dat er overal honden in geblaf, zeemeeuwen in gekrijs en diverse geschrokken baby's in gehuil uitbarstten. Als een speer overbrugde ze de tien meter kinderkopjes die haar van hem scheidden, en wierp zich in zijn armen. 'Hoe...? Waarom...?' Ze grijnsde naar hem. 'Wat doe je hier in 's hemelsnaam?'

'Ach, ik had zin in een tripje naar St. Ives,' zei Fred. 'Maar als dat je inconvenieert, ga ik natuurlijk direct terug naar huis.'

'Ik geloof het niet! Ik geloof het gewoon niet! Echt niet!' zei

Jess telkens opnieuw. Ze kon haar ogen inderdaad niet geloven. 'Dit is de mooiste verrassing van mijn hele leven.'

'Mijn astroloog heeft mij laten weten dat Neptunus onder één hoedje speelt met Koolhydraat,' zei Fred. 'Dus het is goed mogelijk dat je nog meer verrassingen te wachten staan.'

Maar zelfs Fred kon niet vermoeden hoeveel dat er zouden zijn.

# 30

'Laten we ergens heen gaan waar het minder druk is,' zei Fred. Jess knikte. Momenteel werd hun weerzien gadegeslagen door zo'n dertig levende wezens, honden en zeemeeuwen meegerekend. Fred pakte haar hand en nam haar vastbesloten mee naar een rustiger stuk van het dorp.

'Waar gaan we heen?' vroeg ze. 'En nog mysterieuzer: hoe weet jij eigenlijk waar we heen moeten?'

'Ik ben hier een paar keer geweest toen ik klein was,' zei Fred. 'We gaan naar Het Eiland.'

'Ik weet niet of ik wel tijd heb voor een boottochtje,' zei Jess. 'Ik heb tegen mijn vader gezegd dat ik zo terug zou zijn.'

'Het is geen echt eiland,' zei Fred. 'Wacht maar af.'

Het Eiland bleek een kaap te zijn, een soort puntige, groene heuvel die ze al had gezien toen ze met haar vader naar de surfers zat te kijken. Er stond een kapelletje bovenop met een laag muurtje eromheen en een bankje uit de wind. Een ander stel had het begeerde plekje echter al ingepikt. Ze zaten te zoenen als een zoenmachine waar zojuist nieuwe batterijen in waren gestopt.

Fred en Jess liepen dus maar door en kozen een willekeurig plekje op de met gras begroeide helling, ver van de rest van de wereld. Willekeurig, maar daarom niet minder heerlijk. Ze hadden een prachtig panoramisch uitzicht op het strand, de surfers en het dorp.

En bovendien keek Jess ook uit op Freds gezicht en omdat ze al tijden niet de gelegenheid had gehad daar een blik op te werpen, besloot ze dat de surfers wel konden wachten. Ze staarde verrukt in zijn vreemde, grijze ogen, naar zijn bijzondere, spottende mond en zijn oren die een beetje leken op die van een aapje.

'Ik was vergeten hoe je eruitzag,' zei ze.

'Dat zal dan wel een flinke schok zijn,' zei Fred. 'Jij ziet er beter uit dan ik verwachtte. Heb je een facelift gehad?'

Jess gaf hem een stomp, waarna ze, in elkaars ogen starend, wegzakten in een trance, en toen in een kus die een dag of zeven leek te duren.

'Het is de eerste keer dat we zoenen met het geluid van de zee op de achtergrond,' zei Jess naderhand.

'Ja, wat een cliché, hè?' zei Fred. 'Ik weet alleen niet of ik zoenen in de openlucht wel zo'n goed idee vind. Bij daglicht, althans. Al die zeemeeuwen en grote honden overal, je zit zo te kijk.'

'Vertel nou hoe je hier gekomen bent!' zei Jess.

'Nou, ik had al eerder het plan om als verrassing hierheen te komen,' zei Fred. 'Ik heb de Riverdene-kaartjes aan Luke verkocht, dus toen had ik een aardig Cornwallreisfondsje. En daar kwam nog wat bij door mijn fantastische carrière in de catering – die duurde tot ik op dag twee ontslagen werd.'

'Hoe is het mogelijk!' zei Jess. 'Ik had niets in de gaten. Maar ik was wel enorm jaloers. Vertel eens over die Sugababeslight!' ging ze verder, terwijl ze hem tegen de grond duwde. 'Welke vond je de leukste?'

'Ik vond ze allemaal niks,' zei Fred. 'Zoals je weet ben ik zeer kieskeurig als het op meisjes aankomt.'

Bij deze woorden eiste Jess nog een zoen. Fred gaf toe, maar niet zonder halverwege zijn capuchon op te zetten.

'Fred, jij imbeciel!' zei Jess. 'Het is niet de bedoeling dat je tijdens het zoenen extra kleren aantrekt. Als je al iets met kleren doet, zou je ze in extatisch verlangen van je lijf moeten scheuren.'

'Nu nog maar even niet,' zei Fred terwijl hij ongeruste blikken om zich heen wierp. 'Ik ben als de dood dat je vader zo meteen als een soort Cornwallse oorlogsgod opduikt om me met één machtige slag van zijn solide vuist bewusteloos te slaan!'

'Mijn vader? Solide vuisten?' lachte Jess. 'Die is zo stoer en solide als een sprinkhaan. Hij ligt trouwens thuis een middagdutje te doen. Sneu, hè?'

'En weet je zeker dat je moeder ver weg is?' vroeg Fred die nog steeds heimelijk rondkeek. Hij wist dat Jess' moeder iemand was om rekening mee te houden, en hij vreesde de dodelijke gesel van haar feministische tong.

'Ik heb je toch verteld dat ze naar het Eden Project is! Rustig nou maar, Fred! Wat heerlijk dat je bij me bent. Ik dacht dat je met Flora naar Riverdene was.'

'Met Flora?! Lieve kind, wat heb je toch een bizarre fantasie. Ik moest mijn ouders wel vertellen dat ik naar Riverdene was met Luke, omdat ze het natuurlijk niet eens zouden zijn met dit uitje. En zo kon je tenminste ook niet vermoeden dat ik op weg was hiernaartoe.'

'Maar Flora schijnt wel echt op Riverdene te zijn – tenzij dat ook een smoes is en ze zo direct ook hier opduikt.'

'Laten we het niet hopen!' zei Fred met een ongeruste blik. 'Ik heb niets tegen haar, maar ik wil jou geen moment meer met wie dan ook delen.'

'En ik maar denken dat jullie samen op Riverdene zaten!' zei Jess en ze schudde haar hoofd. 'Ik was er kapot van, jij idioot!'

Fred diende haar een dikke, geruststellende knuffel toe en

daarna zaten ze alleen nog maar naast elkaar naar de surfers te kijken.

'Ik ga ook leren surfen!' zei Jess. 'Volgens mij is dat een heel goede carrièrestap.'

'Mij lijkt het doodeng,' zei Fred weifelend. Hij deed altijd als-of hij vreselijk slecht was in sport, maar Jess vermoedde dat hij 's avonds stiekem push-ups en sit-ups deed op de vloer van zijn slaapkamer. Zijn buik was in elk geval erg hard, dat wist ze van de keren dat ze hem daar gestompt had.

Een paar kleine kinderen die al vijf minuten irritant in hun buurt liepen te schreeuwen, kwamen vragen hoe laat het was.

'Halfzeven,' zei Jess. Raar dat het al zo laat was. De zon stond nog steeds hoog aan de zomerhemel en de golven bleven maar stukslaan op de rotsen die het eiland omgaven. Door die ein-deloze beweging was ze elk gevoel voor tijd kwijtgeraakt. En natuurlijk voelde twee uur aan als twee minuten, wanneer ze bij Fred was.

'O, hemel!' zei ze. 'Ik moet terug naar mijn vader. Waar lo-geer jij?'

'Ik heb een slaapzak bij me,' zei Fred. 'Afgelopen nacht heb ik geslapen in een oud schuurachtig ding langs de kustweg en vannacht wilde ik op het strand gaan slapen.'

'Doe niet zo raar!' zei Jess. 'Straks word je nog overvallen, of plassen er zeeleeuwen over je heen of zo. Kom toch mee naar mijn vader.'

'Er is wel een jeugdherberg, maar die is vol,' zei Fred. 'Een bed & breakfast kan ik niet betalen want ik heb bijna al mijn geld opgemaakt op weg hiernaartoe. Ik heb geprobeerd te lif-ten, maar dat wilde niet echt lukken. Waarschijnlijk schrikt mijn groteske voorkomen de mensen af. Het heeft me twee da-gen gekost om hier te komen.'

'Twee dagen?' vroeg Jess verbaasd.

'Ja. Ik heb de eerste nacht in de wachtkamer van een station geslapen en de tweede in een schuur. Die natuurlijk vergeven was van de ratten.'

'O, wat afschuwelijk!' rilde Jess. 'Je moet echt meekomen naar mijn vader. Maar ik denk dat we niet zomaar met zijn tweeën moeten komen aanzetten.'

Fred bij haar vader onderbrengen zou een hele toer worden. Stel je voor dat hij doorsloeg en een woedeaanval kreeg... Hoe moest ze dit aanpakken?

# 31

'Ik ga echt niet mee naar je vader,' zei Fred huiverend. 'Mannen zijn heel beschermend als het op hun dochters aankomt. Misschien steekt hij mijn ogen wel uit met een enorme penseel, of zo.'

'Weet je wat,' zei Jess. 'Ik ga naar huis en wacht tot hij wakker is. Als ik kom binnenstormen en hem wakker maak, is hij misschien humeurig. En dan kom ik voorzichtig met de mededeling dat ik een vriendje heb.'

'Ben ik dat dan?' vroeg Fred geschokt. 'Hemeltje! Ik durfde me alleen als je oppas te zien.'

'Jij zou nog niet op een chihuahua kunnen passen!' lachte Jess. 'Maar goed, ik zal eerst zien hoe hij daarop reageert en daarna vertel ik hem de waarheid – dat jij als verrassing hier bent.'

'Dan ga ik wel naar het strand,' zei Fred terwijl hij opstond en zijn rugzak omdeed. 'Daarginds. Ik ga een beetje in het zand liggen in de hoop opgemerkt te worden door een hete, van top tot teen in rubber gehulde blondine.'

'Ik haat je!' grijnsde Jess en ze smoorde Fred plus rugzak in een grote omhelzing.

'Ik kan je verzekeren dat dat wederzijds is,' zei Fred. 'Het was de moeite van het komen meer dan waard om te kunnen constateren dat je afstotelijker bent dan ik me kon herinneren.'

Ze renden de heuvel af en vonden voor Fred een gezellig plekje bij de rotsen. Jess keek ongerust om zich heen. Ze zag geen hete, in rubber gehulde blondines, maar wist zeker dat die zich verscholen hielden in een rotsspleet om te voorschijn te komen en zich aan Fred te vergrijpen, zodra zij hem hier achterliet.

'Wens me maar succes!' fluisterde ze en ze kuste hem heftig ten afscheid. Fred deed hetzelfde. Man, wat kon hij zoenen. Jess' hoofd voelde aan of haar hersens eruit waren gezogen en vervangen door vuurwerk.

'Ik ben weg, en kijk niet meer om,' zei ze. 'Stel je voor dat dit allemaal een droom is.'

'Dat mag ik wel hopen,' zei Fred. 'Ik heb geen zin om de nacht op dit strand door te brengen.'

Jess rende weg via de Westelijke Achterweg die uitkwam in de Oostelijke Achterweg. Wat hadden ze hier toch leuke straatnamen. Ze vond alles aan St. Ives leuk, vooral nu Fred hier ook was. Het leek wel of zijn aanwezigheid zich over het hele dorp uitspreidde, als de geur van friet, maar dan nog lekkerder.

Naarmate ze dichter bij het huis van haar vader kwam, werd ze echter zenuwachtiger. Hoe zou haar vader reageren? Ze zou het onderwerp heel, héél voorzichtig en diplomatiek en omzichtig aansnijden.

Ze deed de deur zachtjes open en sloop op haar tenen naar binnen in de hoop dat haar vader nog zou slapen. Dat betekende dat het langer zou duren voor ze Fred weer zou zien, maar ook dat ze meer tijd had om een goed verhaal te verzinnen. Of nee, wacht! Ze moest juist geen verhaal verzinnen. Jess was zo gewend om te liegen – vooral de laatste tijd – dat het een soort tweede natuur was geworden.

Ze hoefde alleen maar de waarheid te vertellen. Maar op de een of andere manier voelde dat veel en veel enger dan liegen.

Afschrikwekkend. Stel je voor dat haar vader door het lint ging en haar een slettebak zou vinden. Misschien sloot hij haar wel op in haar kamer op een rantsoen van water en brood, en zou hij extra troepen – te weten haar moeder – laten aanrukken om haar onder politiebegeleiding in een getraliede auto terug naar huis te brengen.

Terwijl ze de deur achter zich dichtdeed, hoorde ze muziek vanuit de keuken. Shit! Hij was al wakker. Ze moest nu direct de waarheid gaan vertellen. Ze liep de keuken in waar haar vader aan tafel in zijn mok zat te staren. Een mok met ijskoude, onaangeroerde thee. Dezelfde thee die hij voor zich had toen ze wegging. Dat was vreemd. En verontrustend.

'Thee?' vroeg hij, opschrikkend. Hij zette de radio uit. 'Verse thee, nog beter. En hoog tijd.'

'Nee, dank je,' zei Jess. Ze kon het idee nu iets te moeten eten en drinken niet aan. 'Heb je lekker geslapen?'

'Nee, ik ben zelfs niet gaan liggen...' zei haar vader. 'Ik moest nog wat telefoontjes afhandelen...' Hij keek raar en in gedachten verzonken de kamer rond alsof hij iets vergeten was. Toen draaide hij zich plotseling naar haar om en hun blikken haakten in elkaar alsof ze allebei gehypnotiseerd waren. Jess' benen begonnen te trillen. Het leek wel of haar vader iets wist. Was hij een wandelingetje gaan maken en had hij Fred en haar op Het Eiland gezien? Ze moest vanbinnen vreselijk blozen bij het idee.

Maar dit was hoe dan ook het moment. Ze moest ergens de moed vandaan zien te halen. Ze schraapte haar keel. Zou ze gaan zitten? Het voelde alsof haar benen het zouden begeven. Of toch maar blijven staan? Dan kon ze zo nodig snel wegkomen. Uiteindelijk ging ze een beetje scheef op het randje van een stoel zitten.

'Pap,' zei ze met trillende stem, 'ik vrees dat ik je iets moet vertellen.' Haar vader sperde zijn ogen open. Hij hield zijn hoofd schuin, zweeg en keek uitgesproken angstig. 'Het is namelijk zo,' ging Jess door, 'dat ik je iets moet bekennen. Ik heb in het geheim een vriendje. Hij wil je dolgraag ontmoeten. Hij zit nu op het strand te wachten.'

Op haar vaders gezicht volgden de emoties elkaar op: ontzetting, geamuseerdheid, schrik, gêne, ongeloof. Het leek de catalogus van postorderbedrijf Grote Gevoelens wel. Lange tijd zei hij niets. Toen kwam er een merkwaardige uitdrukking op zijn gezicht. Hij zag er, tja, schaapachtig uit, constateerde Jess verbijsterd.

'O,' zei hij ten slotte. 'Als we dan toch geheimen gaan onthullen, heb ik er ook nog wel een. Ik heb namelijk ook een vriendje. En die zit nu ook op het strand te wachten.'

# 32

Even klonk er een soort geraas in Jess' oren, maar toen werd haar hoofd helder. Het was volkomen stil in de keuken, afgezien van het plotseling luide tikken van de klok. Ze kon haar oren niet geloven.

'Bedoel je,' zei ze zachtjes en krakerig, want haar stem wilde plotseling niet meer, 'dat je homo bent?' Haar vader bloosde en trok zijn onderlip op in een meelijwekkende glimlach.

'Ik vrees van wel,' zei hij met een verontschuldigend schouderophalen.

Jess kreeg overal kippenvel. Dat was raar! Ongelofelijk raar! Haar gedachten raceten terug door de afgelopen jaren, naar de keren dat ze samen waren geweest. In het museum, waar hij haar dinosaurusbotten had laten zien – en al die tijd was hij homo! In een eetcafé waar ze pizza met cola hadden besteld – en al die tijd was hij homo. Hij had haar verhaaltjes voorgelezen voor het slapengaan, met haar gewandeld in het park, haar meegenomen naar de bioscoop – en al die tijd was hij homo! En toch, naarmate ze er langer over nadacht, verklaarde het alles – hoewel het natuurlijk een verbijsterend idee bleef.

'Waarom heb je dat dan niet jaren geleden gezegd?' zei ze.

Er kwam een merkwaardige opluchting over haar. Het idee dat hij met mannen naar bed was geweest en hen had gekust en dat soort dingen, vond ze niks. Maar aan de andere kant; als hij hetero was geweest, had ze het idee dat hij met een vrouw naar bed ging ook niks gevonden. Je wilt er nou eenmaal niet bij stilstaan dat je ouders dat soort dingen doen.

'Ik wilde niet... het leek me... Ik dacht dat je ervan zou schrikken.' Haar vader leek nog onzekerder en meer opgelaten dan zij.

'Natuurlijk schrik ik er niet van!' zei Jess. 'Ik ben alleen... alleen verbaasd. Dat is alles.'

Ze liet alle coole homo's die ze van de tv kende de revue passeren. Graham Norton, Ian MacKellen, die Gandalf speelde in *Lord of the Rings*. Elton John, Julian Clary.

En haar vader hoorde nu bij dezelfde club als die ongelooflijk hippe mannen!

'Gaaf!' zei ze. 'Ik vind het onwijs cool. Ik ga het aan al mijn vrienden vertellen. Wat zullen ze jaloers zijn!'

'Dus je vind het niet, eh, erg?' vroeg haar vader aarzelend.

'Erg?' zei Jess in een heldhaftige poging hem gerust te stellen. 'Ik vind het fantastisch, idioot! Gefeliciteerd! Geef me een knuffel.'

Ze grijnsde oogverblindend en haar vader glimlachte onzeker terug. Ze stonden op en vielen elkaar onhandig in de armen. Er kraakte iets.

'Je hebt mijn rib gebroken,' zei Jess' vader. 'Dat is nou precies waarom ik me nooit met vrouwen heb willen inlaten; ze hebben de kracht van tien mannen.'

'Van tien tijgers, bedoel je zeker!' zei Jess. Toen schoot haar plotseling iets te binnen. 'Weet mama het eigenlijk?'

'Ja. Het werd natuurlijk wel duidelijk. Het was de reden waarom ons huwelijk stukliep.'

'Dat had ze me wel kunnen vertellen!' zei Jess.

'Weet ik, maar het is ook mijn fout,' zei haar vader. 'We ble-

ven maar overleggen over hoe en wanneer en uiteindelijk gebeurde er helemaal niets.'

'Je had het me jaren eerder moeten vertellen,' zei Jess. 'Het
is toch de beste reden voor een slecht huwelijk, dommerd? Na-
túúrlijk heb je geen goed huwelijk als de echtgenoot homo is.
Een homo als ex is trouwens waanzinnig trendy. Denk maar
aan *Absolutely Fabulous*.'

'Ik geloof dat ik wel toe ben aan een kopje koffie.' Haar vader
liep naar de ketel. 'Dit is allemaal wel een beetje plotseling.'

'Niet plotseling genoeg, wat mij betreft,' zei Jess. 'Echt, pap,
je had het me jaren geleden moeten vertellen. Dat had alles
verklaard.'

'Tja,' zei haar vader terwijl hij de ketel vulde. 'Ik zat nogal
met mezelf in de knoop toen ik met je moeder trouwde en ik
dacht dat een huwelijk de oplossing was. Maar zo ging het niet.
Het enige wat er gebeurde was dat zij zich – door mijn schuld –
vreselijk afgewezen voelde.'

'Dat was niet alles, dom konijn!' zei Jess. 'Je hebt mij gemaakt, je fantastische dochter. Dat was mama in haar eentje
niet gelukt. Maar laten we dit onaangename onderwerp vooral
laten rusten. Ik wil wel warme chocolademelk.'

Nu ze aan het idee gewend was, stond het Jess wel aan. Ze las
geregeld roddelbladen (bij Flora thuis) en was verslaafd aan
internet. 'Een heleboel coole mensen zijn homo, pap. Echt. Je
moet wat meer zelfvertrouwen hebben. Heb je geen homo-
trots?'

'Tja,' zei haar vader nerveus, 'er heersen nog steeds heel wat
vooroordelen over homoseksuelen. Mijn eigen vader heeft
twee jaar niet met me willen praten nadat ik het hem verteld
had.'

'Wat?' riep Jess uit. 'Opi?' Ze was woest. Opi en Omi, de ouders van haar vader, waren tien jaar geleden naar Australië geëmigreerd, dus Jess zag hen niet vaak. Ze stuurden wel cadeautjes met kerst en haar verjaardag, maar ze was niet zo vertrouwelijk met hem als met oma.

'Dat had te maken met zijn opvoeding,' zei haar vader. 'Zijn ouders waren nog geboren in het Victoriaanse tijdperk.'

'Stomme Victorianen!' zei Jess. 'Wat waren die toch hardvochtig. Maar goed. Vertel eens iets over je vriend?'

Haar vader bloosde weer, het water kookte en hij maakte voor zichzelf een kopje koffie en voor Jess warme chocolademelk.

'Hoe heet hij?' vroeg Jess.

'Phil.'

'Hé, net als je huisgenoot. O, wacht, ik begrijp het al! Je zei dat hij je huisgenoot was om me om de tuin te leiden.'

'Tja, ik moest snel iets verzinnen. Je dook onaangekondigd een dag eerder op dan verwacht.'

'Dus dat verhaal over zijn ex-vriendin was ook verzonnen?'

'Ik vrees van wel. Het spijt me, lieverd.'

'Wat doet hij voor werk?'

'Hij heeft een winkel. En een boot. Hij houdt van vissen. En hij surft.'

'Surft hij? Gaaf! En is hij nu op het strand? Zullen we erheen gaan?'

'Even wachten,' zei haar vader. 'Ik heb mijn koffie nog niet op. En jij hebt me nog niet over jouw vriendje verteld.'

'O. Er is eigenlijk niet zoveel te vertellen. Hij is gewoon de leukste, grappigste, raarste jongen van de wereld.'

'Hoe heet hij?'

'Fred.'

'O! Frederika, zeker?'

'Ja, sorry dat ik je heb voorgelogen, pap.'

'We hebben allebei gelogen. Jammer dat daar geen geld mee te verdienen is, dan zouden we rijk zijn! Dan richtten we de Leugenbank op.'

'Of Interleugen! Ik heb ook over al mijn schoolvrienden gelogen, trouwens. Over Eleanor met haar moeder in Californië en die twee baby's, Carlo en nog wat.'

'Ik dacht dat haar vader naar Californië was verhuisd?'

'Ja, misschien wel, pap. Maar wat maakt het uit? Ik wilde het alleen maar makkelijker voor je maken om mij te vertellen dat je een nieuwe vrouw en een stomme baby had.'

'Nou, daar zat je dan mooi naast.'

'Ik wil hem zo graag zien! Zullen we gaan?'

'En dan ontmoet ik Fred dus?' zei haar vader lichtelijk ongerust. 'Ik hoop dat je hem niet op het strand hebt opgepikt?'

'Doe niet zo raar, pap,' zei Jess. 'Ik ken Fred al mijn hele leven. We hebben elkaar ontmoet in de peuterspeelzaal toen ik ongeveer drieënhalf was. Hij sloeg me op mijn hoofd met een opblaasauto en sindsdien zijn we onafscheidelijk.'

'En wat voor iemand is hij?'

'Nou, om eerlijk te zijn lijkt hij wel een beetje op jou. Hulpeloos en grappig.'

'Arme jongen,' zuchtte haar vader. Hij dronk zijn koffie op, waste de kopjes af en draaide zich met een grote glimlach om naar Jess.

'Vooruit dan maar,' zei hij, 'dan moet het er maar eens van komen. Hoewel ik eerlijk gezegd nog liever een levende chihuahua opeet dan dat ik jouw vriendje ontmoet.'

'Dat geldt voor mij ook,' zei Jess. 'Ik eet liever een levende bizon.'

Ze gingen naar buiten en wandelden hand in hand over de kronkelige laantjes met de witte huisjes van St. Ives. Toen ze bijna bij het strand waren hield Jess even stil.

'Je moet me één ding beloven,' zei ze. 'Ik wil niet dat je met Phil hand in hand gaat lopen of hem gaat zoenen of zo. Niet omdat je homo bent, hoor. Met een vrouw zou ik het nog erger vinden. Bleh! Smerig!'

'Helemaal mee eens,' zei haar vader. 'Jij en Fred moeten ook permanent minimaal tien centimeter van elkaar vandaan blijven. Zo niet, dan zou ik wel eens in een humeurige Victoriaanse tiran kunnen veranderen die jou in een toren opsluit en Fred aan de honden voert.'

'Afgesproken,' zei Jess. Het was geruststellend om te weten, dat als Fred en zij deze belofte zouden vergeten en elkaar per ongeluk aanraakten, hun straf vreselijk en schilderachtig zou zijn.

Ze kwamen aan bij het strand, waar Fred met zijn capuchon over zijn hoofd nog op precies dezelfde plek zat als waar Jess hem had achtergelaten. Hij keek uit over de zee.

'Fred!' riep Jess. Fred draaide zich om en stond onhandig op toen hij hen zag. Hij struikelde bijna over een rots en bewoog onhandig met zijn schouders voor hij zijn capuchon afdeed en zijn vreemde, maar hypnotiserende gezicht onthulde, met de grote grijze ogen en de ironische glimlach.

'Fred, dit is mijn vader. Pap, dit is Fred,' zei Jess. Ze schudden elkaar de hand. Fred was bijna net zo lang als Jess' vader en ze glimlachten klungelig naar elkaar.

'En nu is het tijd voor een ontmoeting met mijn vaders vriend,' zei Jess. Ze was bang dat Fred zou staren, of dat zijn mond zou openvallen of dat hij zou gaan giechelen, maar hij vertrok geen spier.

'Gaaf.' Hij glimlachte volkomen ontspannen. Jess was apetrots op hem.

'Nou, waar is Phil?' vroeg ze. Haar vader tuurde naar de branding waar ongeveer veertig surfers in identieke wetsuits op de golven balanceerden of in het schuim stortten. Ze waren zo ver weg, dat het zwarte puntjes leken.

'Daarginds. Hij heeft ons al gezien,' zei haar vader met zijn blik op de branding in de verte.

Jess zag hoe een van de zwarte stipjes aan land kwam. Hij nam zijn surfboard onder zijn arm en liep op hen af. Het duurde eindeloos.

# 33

Hoe meer Phil naderde, hoe aantrekkelijker Jess hem vond. Goed, opduiken uit zee met een wetsuit en een surfboard maakt zelfs een schele nerd charismatisch. Phil grijnsde breed terwijl hij op hen toe liep en hij stak haar uiterst zelfverzekerd zijn hand toe.

'Jess! Komen we elkaar alweer tegen! Als ik niet net uit zee kwam, zou ik je omhelzen.'

'Hallo, Phil.' Jess schudde hem de hand. 'Mijn vader heeft me al over jullie twee verteld. Ik vind het hartstikke leuk. Hij had ons meteen aan elkaar moeten voorstellen.'

'En dit is Fred,' zei Jess' vader. Phil schudde ook Fred de hand.

Als Phil me nu maar leuk vindt, dacht Jess. En als mijn vader Fred maar leuk vindt. En Fred mijn vader. En Phil Fred. Wat een nachtmerrie toch, relaties!

'Kom, dan gaan we naar huis en vragen Timbo om een heerlijk maal voor ons te bereiden!' zei Phil. Jess vroeg zich even af wie Timbo was, tot ze zich realiseerde dat Phil haar vader bedoelde. Het was een raar idee dat Phil een koosnaampje voor hem had. Aan de andere kant: waarom niet? 'Je vader kan heel goed koken, hè?' zei Phil. 'Vinden jullie vis lekker?'

'Ik houd van alle soorten vis!' zei Jess.

'Ja, échte vis met vinnen en schubben en zo,' zei Fred. 'Maar niet van die rubberachtige stukjes tuinslang als inktvis. Mijn favoriete vis is tomaat.'

'Nou, dan moeten we vooraf maar tomatensalade eten,' zei Phil. 'En vispie als hoofdgerecht, Timbo? Met een lekker kaaskorstje erbovenop?"

'Een suffe vispie voor een gelegenheid als deze?' zei Jess' vader. 'Het eerste bezoek van mijn dochter en haar, eh, gewaardeerde metgezel Fred? Ik moet op zijn minst een Indonesisch roerbakgerecht maken.' Haar vader grijnsde en Jess stak haar duim naar hem omhoog terwijl ze terugliepen van het strand.

'Hoe ben je hier eigenlijk gekomen, Fred?' vroeg Jess' vader.

'Dat is een van de heldenverhalen uit de geschiedenis van de Britse ontdekkingsreizen,' zei Fred. Hij en Jess' vader liepen voorop, omdat ze nou eenmaal langere benen hadden. Jess en Phil volgden.

'Ga je gewoon zo terug?' vroeg Jess verbaasd toen ze bij de weg kwamen en Phil druipend en op blote voeten verder liep.

'Ja hoor,' zei Phil. 'Mijn voetzolen hebben de huid van een nijlpaard. Dit is nog niks. Je zou me in november zonder schoenen over straat moeten zien rennen. Hartstikke stoer en macho! Hoe was je vakantie, tot nu toe?'

'Een hel!' zuchtte Jess.

'Hoezo?' vroeg Phil. 'Vertel me alles.'

Jess stortte zich in het verhaal. Hoe ze aanvankelijk naar Riverdene had gewild met Fred, hoe ze had gelogen, en hoe ze in de problemen was geraakt. En daarna over de reis, toen ze voortdurend gekweld werd door de gedachte dat Fred en Flora samen waren. Phil luisterde met aandacht en knikte, maakte verbaasde geluiden en schudde meelevend zijn hoofd alsof hij nog nooit zoiets interessants gehoord had.

'Wat vreselijk voor je. Arm kind!'

Ze vertelde ook hoe oma bij nader inzien de as van opa niet in zee had willen gooien en hoe ze opa had moeten imiteren om haar oma op te vrolijken. En hoe haar moeder het slechtst mogelijke moment had gekozen om bij Jess uit te huilen, net toen Jess zelf wel wat medeleven kon gebruiken.

'Jess, je bent een schatje!' zei Phil. 'Je mag altijd op mijn schouder komen uithuilen! Nu natuurlijk even niet, want mijn schouder is al doorweekt, maar verder... geneer je niet, lieverd.'

'Bedankt,' zei Jess. 'Momenteel hoeft het niet omdat Fred hier vanmiddag zomaar opdook. Dat was het mooiste moment uit mijn leven. En daarna natuurlijk dat pap me over jou vertelde. Dat was het één na mooiste moment.' Ze lachten naar elkaar. 'Maar hoe zat dat nou met jouw vriendin en die bodybuilder?'

'Ja, sorry,' zei Phil, 'dat was zomaar een stom idee. We wisten niet zeker hoe je zou reageren. Je ouders hebben geprobeerd te bedenken hoe ze je het het beste konden vertellen. We hebben het er al maanden over. We wilden je niet laten schrikken.'

Jess vond het raar om zichzelf plotseling door de ogen van een volwassene te zien.

'Stelletje idioten,' grinnikte ze. 'Maar wel lief, hoor.'

'En je kwam natuurlijk ook onverwacht een dag eerder,' zei Phil. 'We waren een beetje in paniek.'

'Ja, dat is mijn vader wel toevertrouwd,' zei Jess.

Ze stonden voor het huis en iedereen wachtte terwijl Jess' vader in zijn zakken naar de sleutelbos zocht en in paniek raakte bij het idee dat hij ze verloren had.

'Hij is altijd zijn sleutels kwijt,' vertrouwde Phil hun toe. 'Vooral als ik ijskoude voeten heb.'

Uiteindelijk vond Jess' vader ze terug en konden ze allemaal naar binnen. Phil ging naar boven om te douchen en Fred vroeg, nogal ongemakkelijk, waar de wc was. Er was een wc op de begane grond en terwijl Fred wegliep, draaide Jess' vader zich naar haar toe en fluisterde: 'Wat is die Fred grappig. Ik vind hem erg leuk.'

'En ik vind Phil ook een schat!' zei Jess. 'Gelukkig, we vinden elkaars vriendjes leuk!' Ze omhelsden elkaar enthousiast.

'Goed,' zei haar vader. 'Ik zal koken, maar jij moet helpen. Snipper deze uien maar eens even.'

'Woont Phil hier?' vroeg Jess.

'Ja,' antwoordde haar vader. 'We zijn naar St. Ives verhuisd om wat dichter bij zijn moeder te wonen, die in Channel View woont. Phil houdt een oogje in het zeil. Hij gaat er elke dag even heen en blijft slapen als het niet goed met haar gaat. Waarschijnlijk slaapt hij vannacht ook bij haar, want het licht bij haar voordeur moet gerepareerd worden.' Fred kwam weer te voorschijn en keek goedkeurend rond.

'Vind je het huis van mijn vader niet leuk?' vroeg Jess. Fred knikte. Jess vroeg zich af of zij en Fred ooit samen een huis zouden hebben. Als het ervan zou komen, hoopte ze dat het net zo hoog, wit, blauw en cool zou zijn als dat van haar vader.

'Fred, snij jij deze tomaten even?' vroeg Jess' vader. Zodra hij achter het fornuis stond, was hij altijd opvallend zelfverzekerd en ontspannen. Hij schoof energiek dingen heen en weer, neuriede in zichzelf en roerde en bakte er lustig op los. Zijn zilveren ring – die Jess al eerder was opgevallen – glansde. Ze begreep nu hoe het zat: het was een vriendschapsring. En er kwamen verder geen enge vrouwen of concurrerende baby's aan te pas. Heel goed!

Fred had in de keuken twee linkerhanden. Zijn eerste tomaat

ontplofte, zodat hij onder de pitjes zat, en de tweede vloog de keuken door om tegen de deur van de koelkast uit elkaar te spatten. Jess vond dat enorm aantrekkelijk, maar nam zich in stilte toch voor om hem naar een kookcursus te sturen zodra ze haar eerste miljoen had verdiend. Of misschien namen ze dan een eigen kok in dienst.

Phil verscheen in een spijkerbroek en een geruit shirt. Zijn overdonderende glimlach verlichtte de hele kamer.

'Jullie hadden me al in mijn surfoutfit gezien, en dit is mijn houthakkerspakje,' zei hij terwijl hij een stoere houding aannam. 'Goed. Iedereen een glaasje vers sinaasappelsap?'

'Ja lekker!' zei Jess. 'Dat is goed tegen mijn puistjes.'

'Je hebt helemaal geen puistjes! Wil jij ook, Fred?' vroeg Phil terwijl hij voor Jess een glas volschonk.

'Nee, dank je, ik heb eigenlijk liever cola. Zodra ik de kans krijg, stop ik mezelf vol met explosieve gassen.'

'Jij een glaasje wijn, Timbo?' vroeg Phil aan Jess' vader.

'Een gewoon wijntje?' antwoordde haar vader. 'Ter gelegenheid van het eerste bezoek van mijn dochter aan haar oude vader? Ik stel Buck's Fizz voor.'

'Wat is dat?' vroeg Jess.

'Sinaasappelsap met champagne!' zei Phil. Hij deed de koelkast open en pakte het vers geperste sap.

'Jullie mogen allebei één glas,' zei Jess' vader, 'ik wil geen dronken tieners in huis. Dronken volwassenen ook niet, trouwens.'

Phil mixte heel stijlvol de Buck's Fizz, het sinaasappelsap met zijn rechterhand en de champagne met zijn linkerhand inschenkend, zonder een druppel te morsen. Hij verdiende de Nobelprijs voor cocktails.

'Ben je soms barman geweest, Phil?' vroeg Jess.

'Ik ben van alles geweest, lieverd,' antwoordde Phil in gevecht met de Buck's Fizz. 'Ik bedenk dingen. Cocktails, trouwerijen, snelle auto's... maar niet alles wordt uitgevoerd, hoor.'

'Phil is ontwerper geweest in Londen,' zei Jess' vader. 'Hij maakte de prachtigste kostuums voor het carnaval daar. Toen we elkaar leerden kennen, jaren geleden, was hij verkleed als kangoeroe.'

'Ik ben dol op carnaval,' zei Phil. 'Glitters, veren, uitzinnige pruiken, glinsterende oorbellen...'

'Ik ben dol op verkleden,' zei Jess enthousiast.

'Nou, dan zit je hier goed!' zei Phil. 'Ik heb boven een kist propvol spullen staan. Timbo gebruikt de kostuums wel eens als inspiratie voor zijn schilderijen.'

'O, mogen we ze na het eten zien?' vroeg Jess.

Fred keek aarzelend, maar Phil grinnikte en knipoogde ondeugend naar Jess.

'Prima idee!' zei hij. 'Ik heb je vader zelfs zover gekregen dat hij zich op zijn verjaardag verkleed heeft. We hadden een gekostumeerd feestje en hij kwam als tarbot.'

'Ik had alleen geen echte staart,' zei Jess' vader, 'wel een zilverachtige broek met een soort schubben erop.'

'En jij Fred,' vroeg Phil. 'Houd jij van verkleden?'

'Geenszins!' zei Fred. 'Ik ben volledig aangekleed ter wereld gekomen. In een grijsflanellen maatpak.'

'Doe niet zo flauw!' zei Jess. 'Ik wil je dolgraag eens als meisje zien.' Jess was verslaafd aan sitcoms, vooral als er travestieten in voorkwamen.

'Bespaar me je perverse ideeën,' zei Fred met een grijns.

'Kom op, Fred, wees nou geen spelbreker!' drong Jess lachend aan. 'Jij met een lange, blonde pruik, volgens mij wordt dat lachen. Heb je toevallig een blonde pruik, Phil?'

'Ik wil niet opscheppen,' zei Phil, 'maar waarschijnlijk heb ik de mooiste collectie blonde pruiken van het land.'

'Hij is ook nog lid van de reddingsbrigade, hoor,' zei Jess' vader terwijl hij het eten op tafel zette. 'Hij is niet alleen maar frivool.'

'De reddingsbrigade!' zei Jess met ontzag. 'Bedoel je dat je je leven riskeert om mensen te redden?'

'Ach, zo heroïsch is het niet, hoor,' zei Phil terwijl ze aan tafel gingen zitten. 'Ik val gewoon op zuidwesters.'

'Hij waagt geregeld zijn leven,' ging haar vader door. 'Vorig jaar heeft hij een medaille gekregen.'

'Houd eens op, Timbo!' lachte Phil. 'Je hoeft geen reclame voor me te maken! Zorg nou maar dat dat eten op tafel komt, schat.'

Het was heerlijk – een soort roergebakken vis met oosterse rijst, ongeveer duizend keer lekkerder dan wat Jess' moeder altijd klaarmaakte.

'Iemand nog een toetje?' vroeg Phil terwijl hij opstond en de borden weghaalde.

'Wat dacht je van wat zelfgemaakt aardbeienijs, Fred?'

'Alleen als het ijs- en ijskoud is,' antwoordde Fred.

'Een meringue erbij?' ging Phil door.

'Fred is dol op meringue!' zei Jess. 'Je zou hem in de weer moeten zien met een citroenschuimtaart. Een leeuw met een stervende gnoe in zijn klauwen is er niets bij.'

'Die gaan we dan morgen maken, vind je niet, Timbo?' zei Phil.

'Nou en of,' zei de vader van Jess. Hij glimlachte in zichzelf. Jess had het gevoel dat dit de gelukkigste avond van haar leven was. Eindelijk was het geheim van haar ouders' scheiding onthuld. Haar vader leek eindeloos gelukkig en Jess wist zeker dat haar moeder, als ze eenmaal wist dat Jess het ook allemaal prima vond zo, eindelijk zou kunnen ontspannen en van haar leven genieten. Toch?

# 34

Na het eten deden Jess en Fred de afwas. Zeer onhandig, wat Fred betrof. Zijn moeder mocht er dan uitzien als een teddy-beer, ze had hem op dit gebied niets geleerd.

'Er zit nog smurrie op dit bord, Fred!' zei Jess bestraffend. 'Was het nog eens af!'

'Huishoudelijke beslommeringen zijn beneden mijn waardigheid, vrees ik,' zei Fred met een ergerlijke glimlach. Jess sloeg naar hem met de theedoek. Afwassen was nog nooit zo leuk geweest. Misschien kwam het door de Buck's Fizz.

Jess' vader en Phil zetten koffie en namen die mee naar een soort platje, hoog tussen de daken.

'Als je je nek verdraait, kun je nog net de zon in de zee zien zakken,' zei Jess' vader. Rondom vlogen roepende zeemeeuwen en kleine, glanzende vogeltjes paradeerden over de balustrade.

'Wat zijn dat?' vroeg Jess.

'Spreeuwen. Mooi, hè?' antwoordde haar vader. 'Begin je geïnteresseerd te raken in vogels?'

'Echt niet!' zei Jess. 'Ik zat net te bedenken dat ze het opgezet leuk zouden doen op een hoed.' Maar dat meende ze niet. Het liefst zou ze een levende spreeuw op haar schouder hebben. 'Heb jij hoeden met vogels erop?' vroeg ze aan Phil.

'Ben je gek?' fluisterde Phil. 'Ik zou niet durven, ik woon samen met een ornitholoog!' Haar vader trok een ernstig vogel-beschermersgezicht.

'Zullen we de carnavalskostuums gaan bekijken?' vroeg Jess. 'Alsjeblieft!'

'Goed!' zei Phil. Hij dronk zijn kopje leeg en sprong op. Jess ging met hem mee naar binnen.

'Jullie moeten ook mee!' zei ze met een bestraffende blik toen ze langs haar vader en Fred liep. Ze gromden wat, maar Jess had wel door dat ze haar niet zouden teleurstellen. De Buck's Fizz had zijn werk gedaan; iedereen was in een feest-stemming.

Ze liep achter Phil aan naar het atelier van haar vader. Phil trok een kleed van een enorme hutkoffer en trok de koffer van de muur weg. Daarna maakte hij hem open. Het bleek een schatkist vol prachtige kleren: met lovertjes bestikte jurken uit de jaren dertig, zijden avondjurken, oude petticoats, gebor-duurde Chinese kamerjassen, opvallende tovenaarsmantels.

'De pruiken en hoeden zitten in deze kast,' zei Phil en hij liep naar het andere eind van het atelier waar hij wat kastdeu-ren opende.

'O, wat prachtig!' zei Jess. 'Moet je nou kijken, dit lijkt de jurk wel die Marilyn Monroe draagt in *Some Like it Hot*.'

'Doe eens aan, doe eens aan!' zei Phil. 'Hier staat een ka-merscherm. Ik ga even een pruik voor je zoeken.'

Jess wurmde zich achter het scherm in de glitterende roze jurk. Haar vader en Fred kwamen de kamer binnen.

'En jullie daar!' zei Phil. 'Wat zal het worden? Dierlijk, plantaardig, iets steenachtigs? *Lord of the Rings* of *Pirates of the Carribean*?'

'Helaas verdrinken mijn borsten volledig in deze jurk,' zei Jess vanachter het scherm.

'Leen deze neptieten dan maar, lieverd,' zei Phil en daar vloog een bizarre, verstevigde bh over het scherm. Jess deed die giechelend aan. Toen stapte ze achter het scherm vandaan, waar Phil klaarstond met de perfecte Marilyn Monroe-pruik.

'Je moet wel eerst je haar opsteken.' Phil gaf haar een doosje met haarspelden en wat haarlak. Er hingen verschillende spiegels in de kamer en Jess ging aan het werk.

'Wat er ook gebeurt, ik ga me *niet* verkleden als vrouw,' zei Fred terwijl hij wat lange blonde pruiken probeerde.

'En jij Timbo?' vroeg Phil. 'Een vogel? Een vis? Een vogelverschrikker?'

'Ik ben in een Gandalfstemming,' zei Jess' vader en hij greep een grijze baard. 'Dat is het fijne aan je verkleden als Gandalf; je hoeft nooit je benen te laten zien.'

'O Fred, je bent net Jennifer Aniston met die pruik!' zei Phil. 'Ik heb nog ergens een minirokje, dat moet je echt even aandoen!'

Opgewonden kleedden ze zich allemaal om. Phil zocht tussen wat cd's en zette de *Rocky Horror Show* op.

Jess had een paar roze schoenen met hoge hakken gevonden die bij de jurk pasten. Lachend wankelde ze rond, ze had nog nooit zo veel pret gehad.

Haar vader staarde al snel charismatisch van onder Gandalfs slappe punthoed uit. Met het lange gewaad en de grijze baard was hij een voorbeeld voor net gepensioneerden die wat wilden liefhebberen met Goed en Kwaad.

Fred zag er verontrustend overtuigend uit als langbenige blondine, en Phil was met een hardgroen rubberpak en een kikkerduikbril een perfecte Kermit.

Het nummer 'Time Warp' begon en ze begonnen allemaal te dansen. Phil, die elke beweging kende, ging hen voor.

Plotseling klonk er een vreemd geluid boven de muziek uit. Bonk, bonk, bonk! Ze stopten en keken elkaar aan.

'Het is bij de voordeur,' zei Jess' vader met een angstige blik.

'Gewoon negeren!' zei Phil, 'dan gaan ze wel weg.'

Ze luisterden allemaal. Phil draaide de muziek zacht. Daar klonk het weer: bonk, bonk, bonk!

'Hè, bah,' zei Jess' vader, 'volgens mij menen ze het.'

'Welnee,' zei Phil vastbesloten, 'we doen of we niets horen, dan houden ze wel op.'

Ze wachtten. Toen ging de enorme voordeurbel. Het geluid rolde oorverdovend langs de muren van het huis.

'Ik haat die bel,' zei Jess' vader. 'De hele straat heeft er last van. Ik ga hem eraf halen, morgen.'

De persoon bij de voordeur belde opnieuw. Tingelingeling! Het was in de hele straat te horen.

'Nou goed dan,' zei Jess' vader. 'Jess, ga jij maar, jij bent de enige van ons die er normaal uitziet.'

'Normaal?!' zei Jess. 'Moet je nou kijken, ik zie eruit als een travestiet!'

'Toe nou maar, schat,' zei haar vader. 'Ga even kijken wie het is, zeg dat we er niet zijn en vraag of ze morgen terug willen komen.'

'En houd je pruik op!' zei Phil. Jess bedacht dat ze wel móest – onder de pruik zat haar haar plat tegen haar hoofd gepind en gelakt.

Ze schopte de belachelijke schoenen uit en rende op blote voeten naar beneden om de deur open te doen.

Daar stond haar moeder, glimlachend en met een tas in haar hand. Terwijl ze de glinsterende jurk van Jess, haar gigantische boezem en snollerige blonde pruik in zich opnam, verdween haar glimlach en haar ogen werden groter en groter.

'Jess,' zei ze, voor één keer sprakeloos. 'Wat is hier aan de hand...?'

'We hebben ons gewoon verkleed, mam,' zei Jess. Er maakte zich een wee gevoel van haar meester. 'Ik dacht dat je pas morgen zou komen.'

'Ik kom alleen wat spulletjes brengen,' zei haar moeder. 'Je pyjama en zo. Oma wilde graag vroeg naar bed en ik had wel zin in een avondritje.'

'Kom maar even binnen,' zei Jess. 'Sorry van de rare kleren. We zijn gewoon lol aan het maken. Echt.'

Haar moeder keek verward en leek de lol van de situatie niet echt te kunnen inzien. En ze wist nog niet eens dat Phil en Fred hier ook waren.

'We zijn boven,' zei Jess, 'in papa's atelier.' Ze begon de houten trap weer te beklimmen. 'Het is mama!' riep ze, om de anderen een paar seconden de kans te geven om zich voor te bereiden. Maar in het diepst van haar hart wist ze dat die paar seconden bij lange na niet genoeg zouden zijn.

## 35

Op weg naar boven sloeg er een golf van woede door Jess heen. Waarom moest haar moeder zich er nu weer mee komen bemoeien? Waarom was ze niet lekker in Penzance gebleven? Ze had Jess altijd ontmoedigd wanneer die haar vader had willen bezoeken. Ze had het altijd uitgesteld en smoezen verzonnen en het afgelast.

En nu, net nu Jess eindelijk bij haar vader was en had gezien wat er eigenlijk aan de hand was en nu ze het zo ontzettend naar haar zin had, uitgerekend nú moest haar moeder langskomen. En als een invalteam van de politie op de deur rammen. En alles verpesten.

Jess ging de kamer een fractie van een seconde eerder binnen dan haar moeder. Haar vader, Phil en Fred stonden nog als verlamd in hun verkleedkleren. Ze zagen er potsierlijk uit. De *Rocky Horror*-muziek stond nog aan, maar wel zacht. Jess' moeder keek hen in verbijstering aan, de een na de ander, haar ogen wijd opengesperd. Ze was sprakeloos. Phil zette meteen de muziek uit.

'Eh, hier is de pyjama van Jess,' zei Jess' moeder en ze hield de tas nogal besluiteloos voor zich uit. 'En haar tandenborstel en wat schone kleren voor morgen.'

'Ah. Madeleine,' zei de vader van Jess na een verpletterende stilte. Hij trok zijn tovenaarshoed af. Zijn stem klonk hoog en dun, alsof hij gewurgd werd. Fred trok met een ruk zijn pruik af.

'Fred!' zei Jess' moeder verbaasd. 'Ik had je niet herkend.'

'Dag mevrouw Jordan,' zei Fred. Hij probeerde een glimlach te produceren, maar er kwam alleen een dun, onecht glimlachje uit, als van een hagedis. Hij zag er sowieso uit als een hagedis in een minirok. Jess kwam even in de verleiding om in hysterisch gelach uit te barsten, maar ze slikte het weg.

'Ik wist niet dat je in St. Ives was,' zei Jess' moeder en haar stem klonk gespannen en op een rare, ouderwetse manier beleefd. Alsof ze in een film uit de jaren veertig zaten, een detective of zo.

'Ik ben net komen liften,' zei Fred, 'ik wilde Jess verrassen.'

'Fred kwam een paar uur geleden aanzetten,' zei Jess.

'O,' zei haar moeder en ze knikte bedachtzaam. Daarna keerde ze zich naar Phil en keek hem doordringend en verbaasd aan. Jess realiseerde zich dat haar moeder erachter probeerde te komen of deze man in zijn kikkerpak ook iemand was die ze kende.

'Het spijt me,' zei ze, 'hebben wij elkaar...?'

'Madeleine!' Phil rukte zijn duikbril af. Het was wel duidelijk dat noch de vader noch de moeder van Jess momenteel in staat was tot het onderhouden van een conversatie. 'We zitten midden in een carnavalesk moment. Een soort feestje eigenlijk. Ter ere van Jess. Ik ben Phil King.' Hij liep naar Jess' moeder en schudde haar de hand.

'O ja!' zei ze. 'Ik heb al veel over je gehoord.' Jess' moeder glimlachte onzeker naar hem en draaide zich toen om naar de anderen om die glimlach met iedereen te delen. Aan Jess' vader had je nog steeds niets, hij stond als verlamd met zijn lange, grijze baard en zijn Gandalfhoed in zijn hand, trillend en met knipperende ogen. Dit was zijn huis. Hij was de gastheer. Het was zijn taak om Jess' moeder op haar gemak te stellen. Wat had ze toch een hopeloze ouders!

Plotseling werd Jess overspoeld door een golf van vertedering voor haar moeder. Daar stond ze, verloren en ongemakkelijk. En ook een beetje armoedig. Te midden van alle lovertjes en satijn, de struisvogelveren en de glanzende pruiken – allemaal kleren die ze zelf nooit van haar leven had gedragen. Ze leek klein en verdrietig en echt. En moe.

Ze was zomaar dit geïmproviseerde feest binnen gevallen. Ze kon er niets aan doen. Hoe had zij nou moeten weten dat ze hier verkleed stonden te dansen? Ze voelde zich vast vreselijk opgelaten. En ze had genoeg reden om razend te zijn, vooral vanwege de onverwachte aanwezigheid van Fred. Het leek of Jess haar moeder had voorgelogen en zonder toestemming was weggeglipt om Fred te ontmoeten in haar vaders huis. Alsof haar vader ook in het complot zat. Jess kreunde inwendig.

Maar hoewel haar moeder genoeg reden had om boos te zijn, ze had nog niet geschreeuwd of geklaagd of gefronst – tot nu toe. Ze had niets sarcastisch gezegd, terwijl ze wat dat betreft altijd kon putten uit een uitgebreid repertoire. Ze slaagde er op de een of andere manier in om te blijven glimlachen, en daar was Jess haar enorm dankbaar voor. Het liefst was ze nu naar haar toe gelopen om haar te omhelzen.

Maar dat kon niet, want niemand in de kamer bewoog, alsof de film was stopgezet. Alsof iedereen behekst was en wachtte op het magische woord dat de betovering zou verbreken. En toen realiseerde Jess zich plotseling dat zij als enige dat magische woord kende.

'Phil is papa's partner,' zei ze. 'Hij is lid van de reddingsbrigade. En hij heeft een medaille gekregen. Gaaf, hè?'

Jess zag hoe haar moeder met haar ogen knipperde, alsof er een stofje in zat. Ze hoopte dat haar moeder iets vriendelijks zou zeggen, ook al duizelde het haar. Ze keek toe hoe ze zich, in slowmotion haast, omdraaide naar Phil. Ze glimlachte.

'Wat leuk om je eindelijk te ontmoeten!' zei ze. 'Tim heeft me al zoveel over je verteld. Vergeet hij nog steeds de dop op de tandpasta te draaien?'

Heldin!!!!! dacht Jess. Helemaal goed!

Phil grinnikte.

'Hij laat overál de dop af,' zei hij.

'Wat een enig huis hebben jullie,' zei Jess' moeder, nog steeds tegen Phil. Dit was haar manier om te accepteren dat hij hier ook woonde. 'Al dat blauw en wit. Erg mooi.'

'Dat is helemaal aan Tim te danken,' zei Phil. Gelukkig zei hij geen Timbo, daar was het nog wat vroeg voor. 'Het was een vervallen pakhuis toen je het vond, hè?'

Jess' vader ontwaakte uit zijn betovering. Hij knipperde met zijn ogen en ontspande merkbaar, als iemand die vanuit het donker het zonlicht in loopt. 'Ja, het was een opslagplaats voor sardientjes,' zei hij. 'Het was al jaren niet meer gebruikt. Je kon door de gaten in het dak de hemel zien. Daardoor kon ik het zo goedkoop krijgen.'

'En hebben jullie alles zelf gedaan?' vroeg Jess' moeder, nog steeds ook aan Phil. Jess besloot haar moeder bij de eerste de beste gelegenheid te omhelzen, dat had nu echt prioriteit.

'Phil heeft het allemaal bedacht,' zei Jess' vader. 'Hij heeft gouden handen.'

'En Tim heeft geschilderd,' zei Phil.

'Alleen de plafonds niet,' zei Jess' vader. 'Ik heb hoogtevrees.'

'Jij bent overál bang voor!' zei Jess' moeder met een stralende glimlach. 'Of is hij tegenwoordig wat moediger?' vroeg ze aan Phil.

'Neuh!' zei Phil. 'Vorige week schrok hij nog van een ijsje.'

'Tja,' zei Jess' vader, 'mijn tanden zijn erg gevoelig. Maar je kunt niet schreeuwen in een volle bioscoop.'

Ze moesten allemaal lachen. De sfeer in de kamer was een stuk ontspannener. Het avondlicht viel over de blauwgeschilderde vloer.

'Ik voel me nogal opgelaten in mijn tovenaarspak. Ik denk dat ik me maar even ga omkleden.' Jess' vader pakte zijn kleren.

'Ja, dan doe ik mijn minirok ook maar uit,' zei Fred en hij hing zijn pruik terug op een van de pruikenstandaards in de kast. 'Het voelt nogal tochtig. Hoe doen meisjes dat toch? De volgende keer ga ik als schildpad. Kan ik me even omkleden in de badkamer?'

'Tuurlijk,' zei Phil. 'Wil je een kopje thee, Madeleine?'

'Niets liever dan dat,' zei Jess' moeder. 'Gráág.'

'Loop maar even mee naar de keuken, dan,' zei Phil. 'En u, mevrouw,' hij knipoogde naar Jess, 'moet onmiddellijk die borsten afdoen. U ziet eruit als een travestiet!'

Fred en Jess' vader gingen zich omkleden, Phil nam Jess' moeder mee naar beneden en plotseling had Jess het atelier helemaal voor zich alleen. Ze deed haar Marilyn Monroe-pruik af. Haar eigen haar zat strak tegen haar hoofd gespeld. Ze trok de haarspelden eruit en haalde haar vingers door haar haar, zodat het weer heerlijk chaotisch zat, als altijd.

Ze keek naar zichzelf in de spiegel. Het was een opluchting om haar eigen, rare haar weer te zien, al zag het eruit als een bos zeewier. Daarna trok ze haar glitterjurk uit en de bh met de schuimvullingen. Haar eigen lichaam kwam weer te voorschijn. Na de enorme nepborsten leek ze bijna slank. Ze zag er eigenlijk helemaal zo gek niet uit.

Vanuit haar voetzolen kroop een heerlijk gevoel omhoog. Opluchting. Eindelijk vielen alle dingen op hun plaats. Ze begreep nu waarom haar ouders uit elkaar waren gegaan. Ze hoefde zich geen zorgen meer te maken dat haar vader eenzaam was. Haar moeder was aardig geweest tegen Phil. En nu ze in de spiegel van haar vader keek, vond ze dat ze er eigenlijk helemaal niet slecht uitzag. Een beetje gewoontjes, maar nou en? Fred had zojuist een heroïsche reis gemaakt, helemaal hiernaartoe, om bij haar te zijn. Dan moest ze dus íets goed doen. Ze grijnsde naar het kleine, grappige, donkere meisje in de spiegel en ging naar beneden.

# 36

Jess kwam de keuken binnen waar Phil, nog steeds in zijn kikkerpak, naar haar moeder luisterde die vertelde wat ze vandaag
gedaan had. Ze keken op toen Jess binnenkwam.

'Thee? Koffie?' vroeg Phil. 'Chocolademelk? Cola? Ouderwetse aanlenglimonade? Water?'

'Ouderwetse aanlenglimonade lijkt me wel wat,' zei Jess. Ze
ging naast haar moeder zitten, maar omdat ze allebei op een
eigen stoel zaten, kon ze haar niet knuffelen. Op een bank was
het makkelijker geweest.

'Wat heb jij, mam?' vroeg Jess.

'Appel-gemberthee,' zei haar moeder. Jess rook eraan.

'Ruikt lekker,' zei ze. 'Maar ik houd niet zo van kruidenthee.
Flora wel, die heeft een wat volwassener smaak dan ik. Ze
houdt zelfs van Beethoven.'

'Heb je nog wat van haar gehoord?' vroeg haar moeder.

'Ja,' zei Jess. 'Ze heeft enorme lol op Riverdene. *Blondes have
more fun*, zeggen ze toch?'

'Niet waar!' Phil zette een heerlijk groot glas limonade voor
Jess neer. Er tinkelden ijsblokjes in en bovenop dreef een plak-
je limoen. 'Blondines kunnen enorm slaapverwekkend zijn,
en je ziet er elk vuiltje op. Brunettes als wij zijn veel fascine-
render.' Jess nam een slokje limonade. Heerlijk!

'Dit is lekker! Dankjewel!' zei Jess. 'Het lijkt wel een echte
cocktail.'

'Ik heb ooit op een cruiseschip als barman gewerkt,' zei Phil. 'De hele Middellandse Zee rond.' Het leek wel of Phil álles had meegemaakt.

'Dat klinkt interessant!' zei Jess' moeder. 'Waar ben je zoal geweest?'

'O, in Napels, Genua, Gibraltar, Tunis, Caïro...'

'Daar heb ik nou altijd al naartoe gewild!' zei Jess' moeder. Jess' vader en Fred kwamen de keuken in. 'Misschien moet ik een baantje op een cruiseschip nemen. Maar ik ben zo onhandig; dat zouden hopeloze cocktails worden.'

'Inderdaad,' zei Jess, 'mijn moeders idee van een cocktail is een kopje thee met een uit elkaar gevallen biscuitje op de bodem.'

'Ik ben niet echt een keukenprinses,' gaf haar moeder toe. 'Kun je je die vreselijke Shepherd's Pie nog herinneren die ik ooit gemaakt heb, Tim?' Jess' vader rilde. 'Het leek me een goed idee om wat ketchup bij de aardappels te doen,' zei Jess' moeder. 'Maar ik schoot een beetje uit. Het werd wat je noemt een moordgerecht.'

'We zijn er dagenlang ziek van geweest,' zei Jess' vader met een grijns.

Er viel even een stilte terwijl Phil koffie zette voor Jess' vader en een glas cola inschonk voor Fred.

'Hoe ging het vandaag met oma, mam?' vroeg Jess. Ze voelde zich een beetje schuldig dat ze zomaar in de bus naar St. Ives was gesprongen en oma de hele dag aan haar lot had overgelaten – al had oma gezegd dat ze alleen wilde zijn.

Jess' moeder zuchtte. 'Ze was een beetje depri toen ik terugkwam. Dat gedoe met die as. Ik had de indruk dat ze alleen wilde zijn met de urn. Nu puntje bij paaltje komt, vindt ze het moeilijker dan ze gedacht had. Ze wil de as wel in zee gooien,

maar niet openlijk. Ik denk dat ze bang is emotioneel te worden. En dat de as alle kanten op waait. En volgens mij vindt ze
het ook weer slap van zichzelf dat ze er zo moeilijk over doet.'

'Ze is helemaal niet slap! Arme oma! De liefde van haar leven
zit in die urn!' zei Jess. Plotseling ving ze even Freds blik op.
Goddank leefde hij nog en zat hij hier bij haar.

'Ik heb een idee,' zei Phil. 'Zou ze het leuk vinden mee te
gaan op mijn boot? Dan kunnen we in de baai een kleine cere-
monie houden, daar heeft ze wat meer privacy.'

Het gezicht van Jess' moeder lichtte op van opluchting en opwinding. 'Heb jij een boot?' zei ze. 'Dat klinkt geweldig! Kan
dat echt? Dat vindt ze vast fantastisch! Dank je, Phil!'

De volwassenen begonnen de details te bespreken. Ze besloten het plan, als oma het aankon, morgen uit te voeren. Jess
wist zeker dat oma het zou willen. Geweldig toch, dat Phil haar
moeders probleem had kunnen oplossen. Het leek wel of er ergens onder de oppervlakte magie aan het werk was. Alsof na
alle ellende van de afgelopen tijd, het tij gekeerd was en er geluk met de vloed mee naar binnen werd gevoerd.

Jess hoefde zich nu nog maar over één ding zorgen te maken. Ze was verbaasd en enorm opgelucht dat haar moeder
zich vanavond zo goed had gedragen. Toen ze plotseling opdook, was Jess bang geweest dat ze alles zou verpesten. Ze had
gevreesd dat haar moeder een enorme scène zou maken. En
daar had ze alle reden toe gehad!

Maar haar moeder was rustig, lief en vriendelijk gebleven.
Lief ook dat ze Jess' spullen had gebracht. Maar stel je voor dat
haar moeder inwendig nog steeds kookte. Ze was erg welopgevoed. Jess kon zich niet heugen dat haar moeder ooit in het
openbaar kwaad was geworden. Meestal bewaarde ze haar
schreeuwbuien voor de momenten dat Jess en zij alleen wa-

ren. Maar als ze nou, achter die glimlach, nog steeds ziedend was...?

Jess had twee keuzes: óf ze moest ervoor zorgen nooit meer alleen te zijn met haar moeder (een aantrekkelijk idee, maar lastig te realiseren) óf ze moest zo snel mogelijk even met haar alleen zijn, zodat ze erachter kon komen wat haar moeder werkelijk dacht.

Hoewel deze avond bijna betoverend voelde, was Jess toch doodsbang dat haar moeder, zodra ze alleen waren, haar glimlach met een scheurend geluid van haar gezicht zou rukken. En dat er dan een vuurspuwende draak te voorschijn zou komen!

'Dit keer ben je echt te ver gegaan!' zou ze brullen terwijl er vonken uit haar ogen sproeiden die kleine kratertjes schroeiden in de grond. 'Je bent een huichelachtige, leugenachtige, achterbakse slet!' Haar moeders haar zou veranderen in een bos sissende slangen. Er zou zwavelachtige stoom uit haar oren spuiten die nog dagen boven Cornwall bleef hangen. Schepen zouden schipbreuk lijden op de rotsen. Bomen zouden zwart worden en afsterven. De ogen van teddyberen zouden uitvallen.

'Nou,' zei haar moeder in het echt, 'het was heel gezellig, maar ik moet nu echt weg.' Ze stond op. 'Dankjewel voor de thee, en voor je aanbod voor morgen, Phil. We komen tegen elven, is dat goed?'

Phil knikte. 'Ik zal zorgen dat de Peggy Sue tegen die tijd klaar ligt,' zei hij. 'In Venetië houden ze begrafenissen op zee, dat heb ik wel eens gezien.'

'Dat klopt!' riep Jess' moeder uit. 'Dat heeft wel iets romantisch.'

'Waar staat je auto?' vroeg Jess' vader, die er nooit voor terugdeinsde om een romantische sfeer te verjagen met vervelende, praktische details.

'Op het parkeerterrein van Het Eiland,' antwoordde haar moeder.

'Ik loop wel even met je mee, mam,' zei Jess.

Haar moeder zei iedereen vriendelijk gedag – zelfs Fred. Zij en Jess' vader kusten elkaar op de wang en Phil omhelsde haar zelfs. Jess' moeder moest ervan blozen en werd er verlegen van, maar je kon zien dat ze het tegelijkertijd fijn vond.

De mannen stonden bij de deur te zwaaien terwijl Jess en haar moeder het straatje uit liepen. Jess voelde de paniek toeslaan en zette zich schrap tegen de stoom, de slangen en de gloeiende woedevonken. Maar haar moeder zei niets. Ze pakte alleen Jess' arm en samen liepen ze naar het parkeerterrein.

'Mam,' vroeg Jess, 'je bent toch niet boos, hè?'

'Boos?' zei haar moeder verrast. 'Nee. Waarom zou ik boos zijn? Ik voelde me eerder een beetje schuldig.'

'Waarom zou je je schuldig voelen?' vroeg Jess verbaasd.

'Omdat het me niet gelukt was je van je vader te vertellen,' zei haar moeder met een zucht. 'Ik had dat al veel eerder moeten doen.'

'Ja, waarom heb je dat eigenlijk niet gedaan?' vroeg Jess. 'Niet dat ik boos ben of verdrietig of zo, maar het was voor ons, en voor papa ook, veel eenvoudiger geweest als ik het wel had geweten.'

'Ja, dat hadden we beter moeten aanpakken,' zei haar moeder. 'Je vader en ik hebben het er vaak over gehad. Ik twijfelde of je oud genoeg was om het te kunnen accepteren. Ik wilde het je steeds vertellen, maar het leek nooit het goede moment. Een paar dagen geleden heb ik nog een poging gewaagd, in het huis van Lawrence of Arabia. En daarna in het park in Penzance, maar toen durfde ik plotseling niet meer.'

'Dat maakt nu niets meer uit,' zei Jess. 'Je hoeft je er geen zorgen meer over te maken.'

'Ik dacht dat je door het lint zou gaan,' zei haar moeder.

'Dat was ook eventjes zo, in het begin,' zei Jess. 'Maar nu vind ik het gaaf. Liever dit dan een vriendin en zo'n stomme baby en zo, dat zou pas echt erg zijn. Maar hij is alleen maar homo! Dat is juist cool! Ik ga het aan al mijn vrienden vertellen. Wat zullen ze jaloers zijn!'

'Nou, dat is dan geregeld,' zei haar moeder. Ze slaakte een diepe zucht alsof er een enorm gewicht van haar schouders was gehaald.

'Weet je zeker dat je niet boos bent... over Fred?' vroeg Jess met bonzend hart. 'Ik wist echt niet dat hij hierheen zou komen. Ik was totaal overvallen.'

'Het is nogal theatraal om zoiets te doen,' zei haar moeder. Jess was blij dat ze naast elkaar liepen en dat ze haar moeder op dit cruciale moment niet hoefde aan te kijken.

'Ja, Fred is een beetje theatraal,' zei Jess.

'Probeert hij indruk op je te maken?' vroeg haar moeder.

'Zo is hij nou eenmaal,' zei Jess. Haar hart bonkte erop los, het was vast door heel Cornwall te horen. 'Fred is, eh, eigenlijk – tja, het klinkt misschien raar – mijn vriendje. Zou je kunnen zeggen.'

'Dat dacht ik al,' zei haar moeder. 'Ik ben ook niet van gisteren.'

Er viel even een loodzware stilte. Jess bereidde zich erop voor dat haar moeder tekeer zou gaan tegen Fred en zijn duivelse plannen.

'Ach,' zei haar moeder. '*C'est la vie.*' En ze haalde luchtig haar schouders op.

'C'est wat?' hijgde Jess. Waarom moest haar moeder uitgerekend op dit moment in het Frans beginnen?

'Zo is het leven!' zei haar moeder. '*Che sera sera* – zo gaan die dingen. Dat is trouwens Italiaans.'

'Probeer je me in verschillende talen duidelijk te maken dat je het niet erg vindt?' vroeg Jess.

'Ik zeg alleen maar dat het er eens van moest komen. En omdat ik op vakantie ben, laat ik mijn humeur er niet door verpesten.'

Ze kwamen bij de auto aan en toen haar moeder zich naar Jess omkeerde, leek ze tien jaar jonger.

'Ik ben zo blij dat je bent gekomen,' zei Jess.

'Ik ook,' zei haar moeder. 'Ik wilde ook wel eens iets impulsiefs doen, iets geks. En je hebt natuurlijk je pyjama nodig en zo, dus ik had een praktisch excuus. Ik hoop dat ik je avond niet heb verpest door zomaar te komen binnenvallen.'

'Natuurlijk niet!' zei Jess. 'Met jou erbij was het helemaal perfect!'

Ze sloeg haar armen om haar moeder heen en knuffelde haar steviger dan iemand ooit geknuffeld is in de geschiedenis van het knuffelen. En haar moeder knuffelde haar twee keer zo stevig terug.

Toen ze uiteindelijk klaar waren keken ze elkaar zwijgend en met tranen in hun ogen aan.

'Je ziet er mooi uit, mam,' zei Jess.

'Jij ook, lieverd,' antwoordde haar moeder.

Toen stapte ze in de auto, startte en reed met een zwaai van haar hand weg. Jess keek haar na. Haar moeder leek klein en kwetsbaar. De tranen liepen Jess over de wangen. 'Laat haar niets overkomen,' fluisterde ze, 'en laat haar voor altijd gelukkig worden.'

# 37

Toen Jess terugkwam vond ze Phil en Fred in de keuken. Haar vader was aan het stofzuigen, maar hij zette de stofzuiger uit toen ze binnenkwam. Allemaal keken ze haar aan.

'Was ze boos?' vroeg haar vader.

'Nee, gek genoeg vond ze het allemaal prima,' zei Jess.

'Op mij zal ze toch wel boos zijn?' vroeg Fred.

'Nee hoor. Ik heb haar verteld dat jij mijn mannelijke metgezel bent en dat deed haar helemaal niets,' zei Jess. 'Volgens mij heeft ze een heel leuke avond gehad en is alles nu, tja, opgelost voor haar.'

'Nou,' zei haar vader, 'dat is geweldig. Ik was bang dat ze het je moeilijk zou maken.'

'We hadden de brancard al klaarstaan,' zei Phil. 'En de zuurstoftent.'

'Ik geef toe dat ik bang was dat ze me levend zou villen,' zei Jess. 'Zo zie je maar weer hoe mensen je kunnen verrassen.'

'Ik vond haar leuk,' zei Phil.

'Haar probleem is gebrek aan zelfvertrouwen,' zei Jess.

'Dat komt door mij,' zei haar vader.

'Kom op, Timbo!' zei Phil fel. 'Niet weer gaan zwelgen in schuldgevoel. Daar hebben we het over gehad. Je zou je alleen schuldig voelen op donderdag tussen vier en vijf!'

'Ja, doe niet zo raar, pap!' zei Jess. 'Mama en jij zijn al tijden uit elkaar. Ze heeft jaren de tijd gehad om eroverheen te komen. Toen ik wat jonger was heeft ze een paar keer iets gehad met mannen, maar het was nooit serieus. Op een dag komt ze vast wel een leuk iemand tegen, iemand die bij haar past.'

'Ik vind haar heel aantrekkelijk,' zei Phil. 'Net als onze Jess: klein, donker en elfachtig.'

'En nu moet je onthullen dat je een broer hebt die nooit de juiste vrouw heeft kunnen vinden,' zei Fred.

'Ja!' zei Jess' vader. 'Een lange, melancholieke visser met staalgrijze ogen... Ik zou haast zelf op hem vallen.'

'Ik voel me enorm schuldig dat ik geen broer heb!' zei Phil. 'Zelfs geen vriend die single is.'

'Of iemand die voor zijn oude vader zorgt,' zei Jess' vader. 'Dan heeft oma meteen ook een spannende date.'

'Ik denk niet dat oma iemand een blik waardig zou keuren,' zei Jess. 'Opa was haar grote liefde en je kunt merken dat ze nog steeds dol op hem is.'

Weer kruiste Jess' blik die van Fred. Ze wilde graag met hem alleen zijn. De komende zestig jaar of zo.

'Misschien is dat een reden voor je moeders gebrek aan zelfvertrouwen,' zei Phil bedachtzaam. 'Het huwelijk van haar ouders was zó gelukkig.'

Daar had Jess nooit bij stilgestaan. Arme mam. Natuurlijk! Ze had zich nóg mislukter gevoeld naast opa en oma die jaar na jaar onder haar neus verliefd zaten te doen.

'Ze moet haar zelfvertrouwen terugkrijgen,' zei Phil. 'Ze is echt een aantrekkelijke vrouw, vind je niet, Timbo?'

'Nou, ik ben ooit met haar getrouwd,' merkte Jess' vader op. 'En gezien het feit dat ik homo ben, moet ze echt wel een stuk geweest zijn.'

'Ik zou haar best eens een make-over willen geven,' zei Phil.

'Met het juiste kapsel, de goede kleren en contactlenzen zou ze het evenbeeld van Ruby Wax kunnen zijn.'

'Welnee,' zei Tim. 'Ze is wel klein en donker, maar Ruby Wax is veel extraverter. Het tegendeel van Madeleine.'

'Ik vind dat ze op Jane Austen lijkt,' zei Fred.

'Fred,' riep Jess uit. 'Helemaal goed! Briljant!'

'Hoe zag Jane Austen er dan uit?' vroeg Phil.

'Nou, zoals Jess' moeder,' zei Fred. 'Er staat een tekening van haar op een omslag van *Pride and Prejudice*.'

'Ik wist niet dat je dat gelezen had, Fred,' zei Jess aangenaam verrast.

'Eerlijk gezegd is mijn moeder het aan het lezen,' zei Fred. 'Ik hoef het niet te lezen, want ik heb de film al gezien. En laten we wel zijn: ik *ben* Mister Darcy.' Hij stak zijn kin omhoog en keek haar doordringend aan met een blik die moest doorgaan voor aristocratisch en hooghartig. Jess begon te giechelen.

'Idioot,' zei ze. 'Je kijkt als een dromedaris!'

De lange zomerdag liep ten einde. Ze gingen met zijn allen naar het strand voor een avondwandeling. Het was al donker en de branding bruiste heftig en wit in het maanlicht.

'Ik ga maar eens naar mijn moeder,' zei Phil. 'Ik moet morgen vroeg op om de Peggy Sue op tijd opgetuigd te hebben voor ons bijzondere reisje.' En weg was hij, met een zwaai van zijn hand. Zonder Jess' vader te kussen of anderszins aan te raken. Erg attent van hem.

'Nou,' zei Jess' vader toen ze terug waren. 'Dan maak ik voor Fred maar een bed op de bank op. Gaan jullie elkaar intussen maar welterusten zeggen op het terras, onder de sterren.'

'Hè, pap, moet dat echt?' zuchtte Jess. 'We blijven liever hier om over literatuur te praten.'

'Dan kunnen we het boven over astronomie hebben?' vroeg Fred.

'Goed dan,' zei Jess terwijl ze de trap op sjokten. 'Wat is jouw lievelingsster?'

Ze stapten het platje op, dat baadde in het maanlicht. Fred greep haar vast en wikkelde zijn aapachtige armen om haar heen. 'Jij!' fluisterde hij. 'Jij bent mijn lievelingsster. Dit was de mooiste dag van mijn leven.' Zijn hart klopte als een bezeten terwijl ze wegzonken in een eindeloze kus. 'Afgezien van de dag dat Manchester United de Europacup won, natuurlijk,' voegde hij daaraan toe zodra ze een adempauze namen.

Jess roste hem een beetje af en besloot toen toch maar haar neus in zijn nek te begraven. 'Je ruikt lekker,' zei ze. Zijn huid en haren roken een beetje kruidig. Niet naar aftershave of zo. Het was Freds bijzondere, eigen geur. Ze vroeg zich af of opa's huid ook zo heerlijk had geroken toen hij en oma elkaar al die jaren geleden in het maanlicht kusten.

Na een poosje gingen ze naar binnen waar Jess haar vader welterusten kuste en naar haar eigen kamer ging. Het was een prachtige kamer, leeg en opgeruimd en helemaal wit met blauw.

Ze trok haar kleren uit en gooide ze her en der neer. Nu zag het er nóg beter uit. Ze haalde de tas leeg die haar moeder had gebracht. Er zaten een pyjama in, schone sokken, haar lievelings-T-shirt voor morgen, haar toilettas, tissues en een prachtig doosje van het Eden Project met badschuim, bodylotion en andere heerlijke dingen. 'Mam,' zei ze hardop, 'wat ben je toch een schat!'

Toen zette ze haar mobiel aan en vond een sms van Flora.

HÉ JSS! SRY DT JE FF NIX GHRD HBT. TIS GAAF HIER. LKE JNGN ONTMT. DAVE. HLML GESTOORD. JE VDR OK?

Jess typte haastig een antwoord. BEN NU BIJ MIJN VADER. MOET JE HOREN, HIJ IS HOMO!! IK HEB ZIJN VRIEND ONTMOET EN ZO! HET WAS EEN FANTASTISCHE DAG. ZELFS MIJN MOEDER IS OKÉ.

Er kwam direct een berichtje terug. WAAAAAT?! JE VDR HOMO??!! GLKSVGEL! WOU DT MN VDR 'T OOK WS. DIE 'S SÁÁI!

Jess tikte weer driftig op haar toetsenbord. FRED IS OOK BIJ ONS IN ST. IVES. GAAF HÈ? IK WAS TOTAAL VERRAST. HIJ IS HELE-MAAL KOMEN LIFTEN OM MIJ TE ZIEN!

ECHTE LFDE luidde Flora's antwoord. MT GAAN. DAVE WL ZOE-NEN. WE SMS'EN. XXX FLO.

Jess slaakte een zucht van tevredenheid, zette haar mobiel af en ging slapen. Ze had zich in jaren niet zo goed gevoeld. En toch droomde ze dat ze door verlaten straten achterna werd ge-zeten door een man met een pizza in plaats van een gezicht. Ze kon op het nippertje ontsnappen door al haar krachten te ver-zamelen en omhoog te vliegen. Wat heb je toch rare dromen.

## 38

De volgende dag arriveerde Jess' moeder met oma en de urn. Ze zouden bij Jess' vader wachten tot het vloed was. Oma omhelsde Jess' vader en zei dat ze hem gemist had. Dat deed hem plezier. Hij bood haar een versgebakken kaasscone aan.

'Waar is die leuke Phil over wie ik zoveel gehoord heb?' vroeg oma die een blik om zich heen wierp. Jess' vader bloosde.

'Die is zijn boot aan het klaarmaken,' legde hij uit.

Ze gingen op de bank zitten en praatten over opa. Jess' vader en opa hadden het altijd goed samen kunnen vinden. Klussen was opa's grote hobby geweest en Jess' vader had hem een keer geholpen om een schuurtje in de achtertuin te bouwen. Haar vader had het met bloemen beschilderd, zodat het wegviel tegen de rozenstruiken, en als grapje had hij er een poezenkop tussen verstopt die tussen de bladeren door gluurde.

Jess' moeder zat op het platje met Jess en Fred. Jess had een blad met thee en kopjes mee naar boven gebracht. Ze was inmiddels thuis in haar vaders keuken en het voelde prettig om van alles te weten waar het lag. Alsof ze hier thuishoorde. Ze wilde hier thuishoren, net als in haar eigen huis.

'Wat heeft je vader toch een leuk huis,' zuchtte haar moeder terwijl Jess het blad neerzette. 'Dit platje, en het uitzicht over de daken...'

'Ons huis is ook leuk, mam,' zei Jess.

'Vind je?' vroeg haar moeder bezorgd. 'Vind je dat echt? Het is er meestal zo'n rommeltje.'

'Dat komt omdat wij niet zo netjes zijn als papa,' zei Jess. 'Maar we kunnen onze huiskamer ook blauw met wit schilderen, als je wilt.'

'Ja, misschien moesten we dat maar doen,' zei haar moeder. 'Er moet iets aan de huiskamer gebeuren. Ik heb het voor me uit geschoven omdat ik een hekel heb aan het schilderen van plafonds.'

'Ik wil wel komen helpen,' zei Fred. 'Kan ik die lange armen van mij ook eens ergens voor gebruiken.'

'Zou je dat echt willen doen, Fred?' vroeg Jess' moeder. 'Wat lief van je. Dat zou heel fijn zijn!' Haar ogen glansden vochtig en ze begon een beetje gegeneerd met de theekopjes te rommelen. Ze haalde het deksel van de theepot en roerde in de thee.

'Blijf van die theepot af,' zei Jess vrolijk. 'Houd jij je gemak nou maar eens, ik speel wel moedertje.' Jess schonk in en deelde scones uit.

Er werd niet veel gezegd, het was heerlijk rustig zo. De zon werd heet, maar ze zaten in de schaduw van een afdak dat Jess' vader had opgezet.

Er lag nog één scone uitnodigend op het schaaltje, die een verleidelijke geur van gesmolten kaas verspreidde.

'Neem jij hem maar, mam,' zei Jess.

'Nee, jij, Fred!' zei haar moeder.

'Nee, echt niet, neemt u hem maar!' zei Fred.

'Wat zijn we toch welopgevoed,' zei Jess. 'Maar toevallig weet ik dat er in de keuken nog veel meer scones liggen.'

'Ik ga er nog wel een paar halen,' zei Fred. Hij stond op en denderde de trap af.

Jess' moeder gaapte, rekte zich ontspannen uit en haalde

haar vingers door haar haren. Alle spanning leek uit haar weg-geëbd.

'Hoe is het met Flora?' vroeg ze.

'Goed, hoor,' antwoordde Jess. 'Prima.'

'Mooi zo,' zei haar moeder. 'Het is een leuke meid.'

'Mijn probleem is dat ik altijd een beetje jaloers op haar ge-weest ben,' zei Jess. 'Het valt niet mee om een vriendin te heb-ben die eruitziet als een godin.'

'Wat een onzin,' zei haar moeder. 'Toegegeven, ze is mooi, maar dat ben jij op jouw manier ook.'

'Op *onze* manier,' zei Jess. 'Ik lijk op jou, mam. En weet je wat Fred gisteravond zei?'

Haar moeder leek even te verstijven uit angst dat Jess Freds liefdesverklaring zou herhalen, of zijn huwelijksaanzoek.

'Nou, wat?' vroeg ze.

'Dat jij op Jane Austen lijkt!' fluisterde Jess haastig, want ze hoorde Fred de trap weer op komen met de kaasscones.

'Jane Austen?!' zei haar moeder geluidloos, alsof ze het niet goed had verstaan. Jess knikte.

Fred stapte het platje op en bood Jess' moeder een kaasscone aan. Ze pakte er een en zei met een stralende glimlach: 'Dank je, Fred! Je bent een engel!'

Fred keek verbaasd. Maar hij had midden in de roos gescho-ten met zijn opmerking. Als je een bibliothecaresse van middelbare leeftijd voor je wilt winnen, moet je zeggen dat ze op Jane Austen lijkt. Jess zag aan haar moeders blik dat ze Fred tot in de eeuwigheid zou aanbidden. Nou, dat konden zij en haar moeder dan mooi in stereo doen.

Toen de vloed was opgekomen, liepen ze naar de haven. Jess' vader droeg de urn. Ze liepen de pier af waar Phils boot onder aan een stenen trap lag te wachten. Phil was in het wit gekleed en de boot was versierd met witte bloemen.

'O, hemeltje, wat prachtig!' zei oma. 'Ik weet gewoon niet wat ik zie!'

Jess' ouders hielpen oma aan boord, waar Phil haar bij de hand pakte, haar installeerde en hielp een schattig zwemvestje aan te trekken. Ze hadden besloten dat oma alleen met Phil zou uitvaren, dat wilde ze het liefst.

Phil zette de urn van opa stevig vast bij de voorplecht en versierde haar met bloemen en witte linten. Toen startte hij de motor. Oma hield zich vast aan de zijkant van de boot, keek omhoog en glimlachte blij, alsof ze een pleziertochtje ging maken.

Phil maakte een saluutgebaar en stuurde de boot de haven uit en de baai in. De zee was glad als een glasplaat.

De anderen keken hen op de pier na. Jess' moeder pakte een zakdoek en veegde haar ogen af. Jess' vader sloeg zijn arm om haar heen.

Jess vond het fijn om te zien hoe haar ouders dit ontroerende moment deelden. Maar ze wist tegelijkertijd dat ze voor altijd dat knagende gevoel achter in haar hoofd kwijt was: dat ze weer bij elkaar moesten komen. Dat was onmogelijk, een kanariepiet en een schelvis pasten nog beter bij elkaar.

Fred stond vlak bij haar. Hij sloeg zijn arm niet om haar heen, maar hun armen raakten elkaar toen ze op het muurtje van de pier leunden. Jess voelde Freds warmte, heerlijk was dat. Wat fijn dat hij geen reptiel was. Jess had even medelijden met de koudbloedige krokodillen. Wat moest het vreselijk zijn om een relatie te hebben zonder af en toe gezellig te kunnen knuffelen.

Ze keken toe hoe het bootje het midden van de baai bereikte en daar stopte. Het was te ver weg om te zien wat er gebeurde, maar er was een korte pauze. Er krijsten zeemeeuwen en het zonlicht danste op de golven. Jess was in stilte blij dat ze niet mee had gehoeven op de boot. Ze was doodsbang dat ze alles zou verpesten door in technicolour over Phils witte broek te braken.

Na een poosje kwam de boot terug. Toen hij dichterbij kwam, zagen ze dat oma een bloem in haar haar had. Jess glimlachte.

Ze dromden samen op de trap en hielpen oma uit de boot. Haar ogen waren wat vochtig, maar ze glimlachte stralend.

'We hebben een dolfijn gezien,' zei ze. 'Hij deed me op de een of andere manier aan opa denken. Die glimlach.'

'Ik heb een idee,' zei Jess' vader. 'Zodra ik terug ben in mijn atelier begin ik aan een schilderij van opa. Zoals hij altijd naast de deur van zijn schuurtje zat.'

'Dat deed hij als hij genoeg had van mijn gezeur,' zei oma. 'Wat een leuk idee! Dan moet je hem schilderen in zijn oude, groene tweedjasje, Tim, dat was zijn lievelingsjasje.'

'Goed, iemand zin in een begrafenisfrietje?' vroeg Phil. 'Dan gaan we die thuis lekker opeten met een glaasje koude champagne erbij.'

'Heerlijk,' zei Jess' moeder, 'precies wat we nu nodig hebben.'

# 39

Na de lunch leken de volwassenen niet langer behoefte te hebben aan steun of therapeutisch advies. Phil ging weer aan het werk. Jess' moeder lag met haar ogen dicht op een ligstoel in de schaduw op het platje. Oma en Jess' vader bladerden door een oud album op zoek naar foto's van opa, zodat Jess' vader voorbereidingen kon treffen voor het schilderij.

'Kom,' fluisterde Fred, 'laten we naar het strand gaan.'

'Ja, dan gaan we zwemmen!' zei Jess. 'Maar je moet beloven dat je niet afkeurend naar mijn buikje zult staren als je mij in mijn bikini ziet!'

'Dan moet jij je blik van mijn miezerige, broodmagere benen afwenden,' zei Fred. 'Er komt natuurlijk binnen de kortste keren een bodybuilder langs die zand in mijn gezicht schopt.'

Jess pakte haar zwemtas en wat badhanddoeken. Haar moeder liet hen beloven dat ze elkaar met factor 30 zouden insmeren.

'Hè, mam!' zuchtte Jess alsof het idee alleen al slaapverwekkend was, maar natuurlijk verheugde ze zich erop Fred in te smeren zoals een kat zich erop verheugt een sardientje in het nauw te drijven onder de keukentafel.

Ze gingen naar buiten waar het zonlicht door de straat danste als in een glossy reisgids vol zon, zee & zoenende vakantiegangers.

'Tjonge!' zei Jess. 'Ik ben werkelijk stuitend gelukkig! Ik vermoed dat er zo meteen ergens een bouwsteiger boven ons hoofd gaat instorten, of zo.'

'Of misschien worden we overreden,' zei Fred. 'Geluk is vrágen om ongelukken.' Hij pakte haar hand en kneep er zo hard in dat haar botten kraakten. Dit was de mooiste dag van haar leven – zelfs met gebroken vingers.

Het strand was vol, maar zo groot dat ze algauw een rustig plekje vonden, slechts een paar meter verwijderd van drie kibbelende gezinnen en wat ziekelijk dikke mensen die badminton speelden. De hemel op aarde.

'Goed,' zei Jess. 'Dan ga ik even naar de wc om mijn bikini aan te trekken.'

'Ik blijf wel hier,' zei Fred. 'Ik heb mijn zwembroek onder mijn spijkerbroek aan.'

Hij trok met een ruk zijn spijkerbroek uit. Er kwam een zeer lange, grijze en behoorlijk trendy zwembroek onder vandaan. 'Ik houd mijn т-shirt nog even aan,' zei hij. 'Ik heb een hekel aan mijn tepels. Als jij ze ziet is het meteen uit tussen ons.'

'Je moet een band met ze kweken, Fred,' zei Jess. 'Geef ze namen, doe alsof het huisdieren zijn. Dat heeft voor mij ook gewerkt.'

Fred grijnsde, spreidde de badhanddoeken naast elkaar uit en nam een ontspannen, horizontale positie in.

'Schiet nou maar op!' zei hij. 'En haal meteen wat ijsjes als je daar toch bent. Alles is prima als er maar chocola en pinda's is zitten.'

Jess zette koers naar de wc's in de verte. St. Ives had vier stranden en volgens haar vader kon je hier het beste zwemmen. Het strand eindigde bij een steile, met bomen begroeide helling. Er stonden nog net geen palmbomen, maar een mooiere omgeving zou je niet snel vinden. Het droeg bij aan Jess' dolgelukkige stemming.

Zelfs de wc's leken te baden in een goddelijk schijnsel. De vage geur van chloor zou voor altijd in haar geheugen gegrift blijven als een verrukkelijk luchtje. Misschien moest ze wat kopen om op haar polsen te sproeien bij al haar toekomstige dates.

Ze perste zich in haar bikini. Een miskoop natuurlijk: geel met blauwe noppen. Maar gelukkig werd het grootste deel van haar kont erdoor bedekt. Zou Fred het belachelijk ouderwets vinden dat ze geen goudglanzende string had gekocht? Jammer dan. Haar billen zouden nimmer publiekelijk getoond worden.

Jess had ooit met behulp van twee grote spiegels vastgesteld dat haar billen eruitzagen als twee kale mannetjes die met elkaar aan het fluisteren waren. Dat was jammer genoeg alleen te camoufleren met een tatoeage van de complete aardbol: de beide Amerika's op de ene en Afrika op de andere bil. Zolang Jess het geld voor de tatoeage nog niet bij elkaar had, moest die string nog maar even wachten.

Ze propte haar kleren in haar schoudertas, schoof haar slippers aan haar voeten en waagde zich ongemakkelijk de wc uit. Er stonden drie vrouwen in de rij die haar boos aankeken omdat het zo lang geduurd had.

'Sorry,' mompelde ze. De zon voelde fijn aan op haar blote huid, maar ze wist dat ze binnen een paar minuten zou verbranden. Ze moest snel terug naar Fred zodat hij haar met factor 30 kon insmeren. Maar eerst de ijsjes.

Ze hadden niks met pinda's of chocola, dus kocht Jess twee enorme softijsjes die gevaarlijk naar één kant overhingen. Toen tuurde ze met samengeknepen ogen het strand af op zoek naar Fred.

Hij was weg. Hij was weg! Jess' hart kneep samen en haar

blik scande de badgasten. Hij was niet waar ze hem had achtergelaten. Er zat een stel te praten waar ze dacht dat hij moest zijn. Nu niet in paniek raken, dacht Jess, die haastig aan beide ijsjes begon te likken omdat ze al wegkwijnden in de hete zon. Misschien is hij gewoon even aan het zwemmen.

Ze ging de mensen in het water af. Er waren alleen dobberende hoofden te zien, en die leken geen van alle op Fred. O, nee hè, hij was verdronken! Een paar minuten geleden was dit nog de gelukkigste dag van haar leven geweest, en nu was er plotseling niets meer dan kommer en kwel.

Jess liep met de ijshoorntjes in haar hand verder het strand op. Ze nam af en toe nog een likje, hoewel ze zich in gedachten al afvroeg wat ze op Freds begrafenis zou dragen. Ze zou teruggaan naar hun handdoeken. Misschien had iemand hem gezien. Er waren twee mensen aan het praten, de jongen zittend op zijn handdoek, het meisje staand. Ze kon het wel aan hen vragen.

Maar wacht eens! Jess keek nog eens goed. Dat was niet zomaar een jongen – dat was Fred! Fred! Fred zat op het strand met een meisje te praten! Een slank, blond meisje natuurlijk, met een prachtige bruine kleur en – als Jess' ogen haar niet bedrogen – een goudkleurige string aan. Wat liep ze daar te pronken met dat pronte lichaam van haar, de slet! Haar gebronsde dijen waren maar een centimeter of tien verwijderd van Freds starende ogen!

Waar dacht hij mee bezig te zijn? Dit zou ze hem betaald zetten! En dat meisje ook, dubbel en dwars! In de tijd die zij nodig had gehad om een bikini aan te trekken, had Fred zich in een compleet nieuwe relatie gestort! Jess stapte razend op hen af. Fred had zijn T-shirt uitgetrokken. Dus dat blonde mokkel had zijn tepels nog eerder mogen zien dan zij? Wat een belediging! Dit was verreweg de ergste dag van haar leven!

# 40

Heel even vroeg Jess zich af of het Flora was. Belachelijk. Flora zat op Riverdene. Maar er gebeuren rare dingen in je hoofd als je van je roze wolkje af valt en in de zwartste hel terechtkomt.

Toen ze dichterbij kwam, keek Fred met een schuldige blik op, zag Jess' blik en trok een vreemd, opgelaten gezicht.

'Hé, Jess!' riep hij. Het mooie blonde meisje keek ook naar haar en glimlachte. Zo'n katachtig, onecht glimlachje waarachter een crimineel verlangen schuilgaat om je te knevelen, van een klif te gooien en vervolgens met je hulpeloze vriendje af te reizen naar Acapulco.

'Nou, ik moet er weer eens vandoor!' Het meisje sloeg speels met haar handen op haar billen alsof ze de aandacht op hun perfecte rondingen wilde vestigen. 'Wat denk je, zal ik nog gaan zwemmen of niet?' Ze keerde zich om en keek naar de zee – om Fred de gelegenheid te geven haar kont te bewonderen, natuurlijk.

'Ja, ik zou maar gaan,' zei Fred nogal dringend.

'Oké, daar gaat-ie dan! Mijn moeder was kampioen schoolslag van Swindon, dus daar moet ik iets van hebben meegekregen!'

En daar ging ze, haar schattige kontje deinde het hele stuk naar de vloedlijn uitdagend mee.

'Ik mag lijden dat ze verdrinkt!' zei Jess. 'Kan ik je nou verdorie geen seconde alleen laten? Ik ging alleen maar even een ijsje halen en ik heb mijn kont nog niet gekeerd of jij staat een of andere ordinaire snol in een string te versieren!'

'Ik stond haar helemaal niet te versieren!' zei Fred die omhoog krabbelde. 'Zij kwam naar me toe en begon te flirten! Ik kan het toch ook niet helpen dat vrouwen mij onweerstaanbaar vinden?' Hij grijnsde, de naarling! Hij vond het allemaal één grote grap!

Het bloed in Jess' aderen begon te koken, ze kon er niets aan doen. Haar hele lichaam schokte van razende jaloezie. Van het ene moment op het andere had volmaakt geluk plaatsgemaakt voor een hel. Fred had sjans terwijl ze éven niet keek en dan dacht hij ook nog dat dat grappig was!

In een vlaag van totale waanzin duwde Jess de twee ijs-hoorntjes op Freds borstkas – één op elke tepel. Ze bleven even aan hem hangen als de puntige beha van Madonna en gleden er toen af, een spoor van gesmolten ijs achterlatend op zijn zwembroek en benen. De ijshoorntjes vielen in het zand, waar ze zielig en kapot bleven liggen.

'Stommeling!' zei Fred, tot op het bot vernederd. 'Ik had net zo'n zin in ijs.'

'Nou, lik het dan maar van je tepels af!' siste Jess. 'Of vraag het die nieuwe vriendin van je!'

Plotseling merkte Jess dat een paar van de gezinnen om hen heen zaten te gniffelen. O, mijn god, dacht ze, ik stel me aan als een idioot. Even was ze verlamd van schrik. Ze voelde dat zeker tien paar ogen op haar gericht waren. Plotseling was ze de grootste imbeciel van het hele strand. Hoe kon ze de totale vernedering nog afwenden?

Er was één uitweg. Wanhopig en blindelings zocht Jess naar haar oude vriend, haar beschermengel: humor.

'Ik pik het niet langer, Quentin!' brulde ze, terwijl haar stem steeds bekakter werd. 'Ik kan je ook nooit vertrouwen. Eerst die croupier in Las Vegas – hoe heette ze ook alweer? Rosie. Belachelijke neus. En dat blond was ook niet echt. Toen die melkmeid in Zwitserland, die dikke koe. De koe zelf was trouwens ook nogal aan de zware kant.'

Er klonk gelach onder de nabijgezeten gezinnen. Het gezicht van Fred, de schat, klaarde op en de uitdrukking van gêne maakte plaats voor zijn normale, grappige grijns.

'Ik wilde alleen maar even in haar uiers knijpen!' protesteerde hij. Er klonk nogmaals gelach onder de toeschouwers. Niet echt fijnzinnig publiek. Het was Fred wel toevertrouwd om in te spelen op hun lagere instincten.

'Hou maar op! Ik heb het helemaal gehad met jou en je snolletjes!' zei Jess. 'Als we thuis zijn ga je terug je hok in.'

'Nee! Nee! Niet in het hok!' smeekte Fred.

'Jawel! Zes maanden in het hok en dan mag je weer naar de kerk. Met een papieren zak over je hoofd!'

'Oké, oké! Die vrouwelijke dominee is trouwens best een leuke meid. Zo'n wit kraagje heeft wel iets.'

'Quentin, je bent een beest!' brulde Jess. 'Butler, breng de zweep! Dit keer ben je te ver gegaan. Je krijgt een pak rammel!'

Fred slaakte een kreet en rende richting zee. Jess volgde, met een denkbeeldige zweep in haar handen. En achter haar meende ze heel even mensen te horen applaudisseren.

Maar ze keek niet om. Ze dook de zee in en joeg achter Fred aan, die met wiekende armen wegzwom. Jess haalde hem zonder problemen in en duwde hem kopje-onder. Fred dook omlaag, wist te ontsnappen en kwam een paar meter verderop weer boven. Jess stortte zich lachend weer op hem, maar hij greep haar armen en liet haar niet meer gaan. Hij was opvallend sterk voor een dun mannetje dat het grootste deel van de dag op de bank hing.

'Dat ging best goed,' zei Fred. 'Maar misschien hadden we dat gegooi met ijs tot het laatst moeten bewaren. Ik denk dat je de volgende keer een complete slagroomtaart in mijn gezicht moet gooien.'

'Fred, wat heb je toch een banaal gevoel voor humor!' zei Jess. 'Die grap over die uiers! Ik heb veel liever een scherpe oneliner.'

'Jawel, maar ze vonden het prachtig,' zei Fred. 'Strandpubliek houdt van banaal. Ik ook trouwens!'

Hij greep onder water naar haar benen. Jess trapte hem lachend weg. Ze was enorm opgelucht. Alles was weer goed.

Hoewel. Ze kon nog steeds het blonde meisje zien, als ze over Freds schouder keek. Die tut was een meter of honderd het water in gezwommen en praatte nu – misschien wel over de schoolslag – met een man met borsthaar en een gouden ketting die op een surfboard lag.

Wat ben ik toch een trut om me zo te laten gaan, dacht Jess. Haar jaloezie had alles bijna verpest.

'Ik vind je leuk als je jaloers bent!' zei Fred vals.

'Ik was niet echt jaloers!' zei Jess.

'Wel waar. Je werd helemaal rood.'

'Ik kan gewoon heel goed doen alsof.'

'Wat jammer!' zei Fred. 'Ik was zelf groen van jaloezie: jij met die ijscoman kwijlend boven het softijs!'

'Fred! Die man was honderd. Hij was kaal en hij had geen tanden meer!'

Fred greep haar voet en begon die te kietelen. Jess ging kopje-onder en kwam schreeuwend van het lachen weer boven.

'Niet eerlijk! Niet eerlijk!' hijgde ze hoestend en met haar mond vol water. 'Hou op! Hou op!'

'Ik houd pas op als jij je excuses aanbiedt voor je woedeaanval!' zei Fred. 'En omdat je de ijsjes hebt laten vallen.'

'Ja, maar wat maak ik nou nog voor kans als blonde seks-bommen als zij het op jou voorzien hebben? En dat meisje bij het cateringbedrijf, Rosie?' zei Jess.

'Ik val niet op blondjes,' zei Fred. 'Ik heb liever zo'n lelijk, klein, dikkig, donker meisje. Vooral als ze boos is. En die Rosie had ik verzonnen.'

'Dus je doet zelfs moeite om mij jaloers te maken?' zei Jess en ze spatte water in Freds gezicht.

'Ik kan er niets aan doen!' sputterde Fred. 'Je bent zo mooi als je boos bent. Hé, dit was onze eerste ruzie, gaaf, hè? Ik kan niet wachten tot de volgende.'

Hij sloeg zijn armen om haar heen en kuste haar met groot enthousiasme, terwijl hij er ondertussen handig in slaagde niet te verdrinken. Dat was nog een hele toer, vooral omdat geen van hun ouders schoolslagkampioen was geweest.

'Sorry dat ik zo jaloers was,' zei Jess na de kus. 'Maar ik vind het goedmaken wel leuk.' Jess moest de realiteit onder ogen zien: er zouden altijd bloedmooie, blonde meisjes opduiken zodra ze zich omdraaide. Meisjes met gebruinde gezichten en zongebleekt haar. Haar oma had gelijk: het strand is een gevaarlijke plek.

Ze kon alleen maar hopen dat Fred zou volharden in zijn merkwaardige, perverse voorkeur voor haar rare, bleke persoontje. En verdorie! Ze moest sloten factor 30 opdoen zodra ze uit zee kwam. Rood was bepaald niet haar lievelingskleur. Vooral niet op neuzen en schouders.

Ze zwommen door de branding en werden opgetild door de oceaanstroming.

'Help,' zei Jess. 'Ik raak volledig op drift!'

'Niets aan de hand,' zei Fred. 'Ga maar op je rug liggen en doe alsof je een dolfijn bent!'

Fred greep haar bij haar voeten en draaide haar rond en rond in het water. Jess zag de lucht boven haar ronddraaien en voelde de zee onder zich tollen, tot alles samenvloeide in één groot, prachtig blauw heelal.

# Sue Limb

## *Meisje, 15, mooi maar maf*

ISBN 978 90 475 0056 8
NUR 284

*Meisje, 15, mooi maar maf, dikke kont, enorme oren, zoekt... Nou ja, zoekt eigenlijk Ben Jones, maar als dat niet lukt: wijd, moslimachtig, burka-ding om afwijkingen aan het oog te onttrekken.*

Het leven kan erg hard zijn als je beste vriendin een godin is, jijzelf een mislukkeling op school bent en Ben Jones nooit in je richting kijkt. Toch weet Jess elke keer op een originele manier de situatie naar haar hand te zetten.

Door middel van scherpe observaties en ironische humor geeft dit boek je een blik in het leven van Jess, 15, mooi maar maf.

'Scherpe observaties met ironische humor. Smulvoer voor pubers vanaf een jaar of 13.' NBD

'Het met vaart geschreven verhaal is hilarisch van toon.' *Friesch Dagblad*

'Sue Limb heeft een vlotte schrijfstijl en haar woord- en beeldgebruik is vaak raak en grappig.' *Algemeen Dagblad*

'Typisch Britse, gortdroge humor en mooi gedoseerde grappen.'
*Noordhollands Dagblad*

'Het met vaart geschreven verhaal is hilarisch van toon.' *Friesch Dagblad*

## Grace Dent

### *LBD Meidendingen*

ISBN 978 90 00 03594 6

LBD = Les Bambinos Dangereuses: drie heel erg coole, hippe jonge babes.

Fleur Swan: adembenemend; als ze niet een van de LBD was, zou ik zeker een hekel aan haar hebben.
Claudette Cassiera: het brein van LBD, en echt een van de leukste mensen van het cosmiversum.
Ronnie Ripperton: ik, een combinatie-huidtype, met een peervormige onderkant en mijn krankzinnige familie, vind Jimi echt zo ongelooflijk aantrekkelijk dat ik me bijna ziek voel iedere keer dat ik naar hem kijk.

Missie: naar het Astlebury-muziekfestival gaan!

Volgende missie: omdat onze (typisch) onredelijke ouders ons geen toestemming geven om te gaan, zelf een geweldig Astlebury-achtig concert met livebands en een enthousiast publiek organiseren.

LBD: het beste wat er is!

## Grace Dent

### *LBD Het Masterplan*

ISBN 978 90 00 03688 2

Het Masterplan = met de LBD naar het supercoole Astlebury-festival gaan, nadat we vorig jaar als enigen op de hele wereld niet mochten.

## Sarah Mlynowski

### *Beha's & bezemstelen*

ISBN 978 90 00 03759 9

Wat als al je wensen uit kunnen komen? Knipper met je ogen, drink een borrelend, roze toverdrankje en *wham...* je leven is perfect! Dat is Rachels situatie, alleen is niet zij maar haar zusje Miri degene die opeens magische krachten bezit. En zoals Rachel je zal vertellen, zijn toverboeken totaal verspild aan jonge mensen!

Ja ja, natuurlijk zijn wereldvrede en geneesmiddelen tegen afschuwelijke ziektes belangrijk. Maar kunnen dansen zonder eruit te zien alsof ze geëlektrocuteerd wordt, is dat ook! En ook haar beste vriendin terugwinnen, haar vaders bruiloft met het Aanstaand Stiefmonster voorkomen en een date voor het voorjaarsfeest vinden...

Hoe moet Rachel dat allemaal voor elkaar krijgen? Ze kan toch niet heksen? Toch?

'Hilarisch.' *Kirkus Reviews*

## Sarah Mlynowski

### *Kikkers & tongzoenen*

ISBN 978 90 00 03750 6

Rachel heeft eindelijk vrede met het schandalig oneerlijke feit dat haar zusje Miri de magische krachten van hun moeder heeft geërfd en zij niet. Maar nou zit het hele tovergebeuren in een neerwaartse spiraal en begint het compleet uit de hand te lopen.

Mam is magicaholic geworden sinds ze aan het daten is. Miri is verslaafd aan het redden van de wereld, maar vergeet dat ze door al deze nachtelijke escapades geen energie overheeft om op school goed haar best te kunnen doen. En de enige piepkleine liefdesspreuk waar Rachel om heeft gevraagd, gaat op een afschuwelijk pijnlijke manier de mist in.

Opeens ligt het lot van alles in Rachels handen; haar familie, de wereld en het supergrote, spectaculaire eindfeest op school... Hoe moet ze dat klaarspelen zonder krachten?

'Dolkomisch.' *Kirkus Reviews*